U0017882

吳靜吉博士策劃

大眾心理學叢書 405

每冊都解決一個或幾個你面臨的問題
每冊都包含可以面對問題的根本知識

大眾心理學叢書 405

洪蘭作品集 5

良書亦友：講理就好 5

作　　者——洪蘭博士
策　　劃——吳靜吉博士
主　　編——林淑慎
責任編輯——廖怡茜
特約編輯——陳錦輝

發 行 人——王榮文
出版發行——遠流出版事業股份有限公司
臺北市 100 南昌路二段 81 號 6 樓
郵撥／0189456-1
電話／2392-6899　　傳真／2392-6658
著作權顧問——蕭雄淋律師

2006 年 8 月 16 日　初版一刷
2019 年 5 月 1 日　初版十五刷
售價新台幣 250 元（缺頁或破損的書，請寄回更換）
有著作權・侵害必究 Printed in Taiwan
ISBN-10 957-32-5837-4
ISBN-13 978-957-32-5837-7

遠流博識網
http://www.ylib.com　E-mail: ylib@ylib.com

洪蘭作品集5

講理就好5

良書亦友

洪蘭博士◎著

《大眾心理學叢書》

出版緣起

王榮文

一九八四年，在當時一般讀者眼中，心理學還不是一個日常生活的閱讀類型，它還只是學院門牆內一個神秘的學科，就在歐威爾立下預言的一九八四年，我們大膽推出《大眾心理學全集》的系列叢書，企圖雄大地編輯各種心理學普及讀物，迄今已出版達二百種。

《大眾心理學全集》的出版，立刻就在台灣、香港得到旋風式的歡迎，翌年，論者更以「大眾心理學現象」為名，對這個社會反應多所論列。這個閱讀現象，一方面使遠流出版公司後來與大眾心理學有著密不可分的聯結印象，一方面也解釋了台灣社會在群體生活日趨複雜的背景下，人們如何透過心理學知識掌握發展的自我改良動機。

但十年過去，時代變了，出版任務也變了。儘管心理學的閱讀需求持續不衰，我們仍要虛心探問：今日中文世界讀者所要的心理學書籍，有沒有另一層次的發展？

在我們的想法裡，「大眾心理學」一詞其實包含了兩個內容：一是「心理學」，指出叢書的範圍，但我們採取了更寬廣的解釋，不僅包括西方學術主流的各種心理科學，也包括規範性的東方心性之學。二是「大眾」，我們用它來描述這個叢書的「閱讀介面」，大眾，是一種語調，也是一種承諾（一種想為「共通讀者」服務的承諾）。

經過十年和二百種書，我們發現這兩個概念經得起考驗，甚至看來加倍清晰。但叢書要打交道的讀者組成變了，叢書內容取擇的理念也變了。

從讀者面來說，如今我們面對的讀者更加廣大、也更加精細（sophisticated）；這個叢書同時要了解高度都市化的香港、日趨多元的台灣，以及面臨巨大社會衝擊的中國沿海城市，顯然編輯工作是需要梳理更多更細微的層次，以滿足不同的社會情境。

從內容面來說，過去《大眾心理學全集》強調建立「自助諮詢系統」，並揭櫫「每冊都解決一個或幾個你面臨的問題」。如今「實用」這個概念必須有新的態度，一切知識終極都是實用的，而一切實用的卻都是有限的。這個叢書將在未來，使「實用的」能夠與時俱進（update），卻要容納更多「知識的」，使讀者可以在自身得到解決問題的力量。新的承諾因而改寫為「每冊都包含你可以面對一切問題的根本知識」。

在自助諮詢系統的建立，在編輯組織與學界連繫，我們更將求深、求廣，不改初衷。

這些想法，不一定明顯地表現在「新叢書」的外在，但它是編輯人與出版人的內在更新，叢書的精神也因而有了階段性的反省與更新，從更長的時間裡，請看我們的努力。

良書亦友

講理就好5

【目錄】

第2篇 青春・悅讀

第3篇 明教・善育

第4篇 生命．科學

第5篇 人文・生活

自序

我很喜歡看書，更喜歡把好書推薦給別人，因此寫書評或書序對我來說，是件很快樂的事。古人說聚沙成塔，積掖成裘，沒想到不知不覺中竟也寫了五十六篇。感謝遠流的編輯同仁，很有耐心地將我這兩年來所寫的書序彙集，並出版作為推廣閱讀的一個方式。

在我看的這些書中，翻譯的居多，國人自己寫的只有七本。看到台灣翻譯市場的蓬勃很是高興，這是世界化、國際觀的第一步，雖然翻譯是件吃力而不討好的事，它卻是把國外新知介紹進來的唯一方式。因為我自己也有在作翻譯，很知道為何俗語說文人是「爬格子」，每一本翻譯書都是譯者一字一字辛苦寫出來的。出版社的編輯請我寫序時，給我看的都是二校稿，上面紅筆勾畫，錯字校正，可以看到他們的敬業精神。這些都是台灣的希望，我們最怕是只會

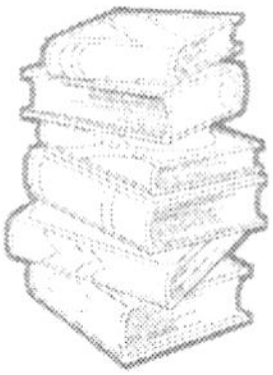

批評人家，自己不做，只要肯做都有希望。朋友有時開玩笑說某某人燒得一口好菜，打得一口好球，寫得一口好文章，因為說的總是比做的容易。本書中所介紹也是我非常樂意推廣的翻譯書，除了我自己的以外，其餘都是年輕人的譯作，年紀輕輕有這個耐性坐在桌子前面，把別人的意思看懂並換成自己的話寫出來，真是不容易。其實所謂草莓族也是看我們怎麼去挑戰他們，不是嗎？

在這些推薦的書中，讀者可以看到它分成五大類，這是編輯的巧思，把書分類，使有興趣看原書的讀者容易按圖索驥。第一類是給家有幼兒的父母看的，因為在研究上，我們看到大腦的發展與後天環境有很大的關係，它是個交互作用，缺一不可。童年是人格成長最重要的時候，所以家庭教育非常重要，而這些書都是提醒父母，模仿是最原始的學習，家庭是最早的學習場所，鼓勵父母多花時間在孩子身上，陪伴孩子成長。

第二部份的書適合國小高年級或國中生看，像《海底兩萬里》或《福爾摩斯》都是我自己青澀少年時看的書。我很感謝父母在經濟很拮据的時候都沒有拒絕我買書的要求，讓我在小時候就培養了閱讀的習慣。

第三部份的十一本書都是談教育上的觀念，編輯起的標題是「明教善育」

，我覺得非常好，教育正應該如此。時代在進步，我們千萬不可不變應萬變，那會被世界淘汰掉。我們必須看清時代的需求然後作回應，而教育應該為學生出社會作準備。孔子早已經說過，不教而殺謂之虐，我們不能再教些三、四十前的老東西，那是不道德的。目前最令人擔心的是大人喜歡用「我是為你好」這個大帽子來壓孩子，比如很多父母都覺得不打不成器，其實在神經學上已看到，長期恐懼會殺死神經細胞，長期的極端恐懼更是會改變人格。人固然有惰性，好逸惡勞，但是胡蘿蔔的效力長久且沒有副作用，人只有從內心想做，才會做的好，如果不甘願做，即使坐在書桌前，有讀沒有進，也是枉然。

　　第四部份是我最喜歡的生命科學，父母必須了解基因不是藍圖，「將相本無種，男兒當自強」，後天可以改變先天，至少可以影響先天，父母不能任意推卸自己的責任，只要肯好好教，孩子一定會成材。台灣這個領域目前相當不成熟，還是有很多父母相信「不要輸在起跑點上」這句廣告詞，沒有動腦筋想一想，人生是馬拉松，又不是百米衝刺，跟起跑點有什麼關係？人生有關係的是耐力、毅力與創造力外加領袖魅力，這些都不是坐在教室中上課可以得到的。我多麼希望台灣每個人能「做你所愛」，並且能更上一層樓「愛你所做」。

最後一部份是生活的啟發，如《五項修練的故事》裡的寓言或故事看起來是不起眼，卻給你開一扇窗，更打開一個世界，你會發現若能跳脫眼前局面，天下原來是如此大。

人生不可能十全十美，我們也不應該去要求什麼都好，但是人只要有心，一直做下去，一定會看到成績。韓愈說：「化當世莫若口，傳來世莫若書。」我希望透過這些導讀，讓大眾有興趣去讀這些書。第一本英文字典的編纂者約翰生（Samuel Johnson）說：「一個家庭沒有書就好像一個房間沒有窗戶。」無書會讓人庸俗，目光如豆，如果我們讓孩子養成閱讀的習慣，我們就替他打開一扇窗，同時也幫他打開一個世界，他的人生會從此不一樣。當一個人視野寬廣了，自然不會「分金恨不得玉，作相怨不封侯」，整天庸庸碌碌，虛度一生，人只有在平靜的心情下才能感受到生命之美。

台北現在炎炎夏日，為了禮券案、關說案、賣官案，每個人心情都不好，但是只要把自己做好，再進一步把你身邊的人做好，台灣就有希望了。哲人日已遠，但是沒關係，典型在夙昔。但願每一個人都能風簷展書讀，替自己找到一片天堂。

1

啟蒙

話書

01 我就知道我行！

小天下出了許多適合兒童看的好書，這本是其中之一。許多人不了解繪本童話，認為薄薄一本，為何要賣這麼多錢？其實繪本童話最重要的是它的圖片中提供了非常多的線索，讓說故事的人看到圖片，引發靈感，就自己的經驗編個故事講給孩子聽。所以孩子聽繪本童話的故事時，不但是聽書中的故事，還包括講故事的人自身的經驗故事，這就是為什麼所有孩子都愛聽故事而且百聽不厭。

這本「小火車」的故事雖然很淺，寓意卻很深，父母很可以就每一點來發揮，例如，當你認為你不行時，你即使行，你也不知道，但是當你認為你行時，你常會做出自己想不到的成就來。父母在念書時不妨加入自己的經驗或舉其

書名：小火車做到了！
作者：華提・派普爾
繪者：羅倫・隆
譯者：郭恩惠
出版：小天下

他的例子，幫助孩子了解故事的內涵。這不但增加親子共讀的樂趣，也增廣孩子的背景知識。

這就是為什麼錄音帶不能取代父母親的床邊故事。孩子要的不只是故事內容，他還需要被父母抱在懷裡的安全感以及父母隨機發揮所講出來的故事。錄音帶每一次播放出來都是一樣的聲調、一樣的內容，而父母親念，雖然同一個故事，每一次都不同。

有一份調查發現，美國人「童年最快樂的回憶」票選最高的是床邊故事，當父母念書給孩子聽時，也啟發了孩子的想像力，讓孩子在夢中隨著故事的主人翁一起去探險，一起去飛翔。我以前的指導教授告訴我，每次有學生生孩子，他就買《小飛俠》的故事書贈送，因為他說他活了八十歲，每次在書店看到《小飛俠》這本書還是會不由自主的微笑起來，因為這是他童年最甜蜜的回憶之一，也是帶給他最多愉快的夢的一本書。

閱讀帶給我們的愉悅是金錢物質比不上的，父母親可以給孩子最好的禮物是一個閱讀的習慣，這個習慣會使孩子的心靈永遠不寂寞，因為打開一本書就打開了一個世界。馬克・吐溫（Mark Twain）說，最好的娛樂在你腦海裡，想

像力是一個人最珍貴的財產，有充沛想像力的人是快樂的，他可以忘記現實的一切，在幻想中實踐他的願望。約翰・米爾頓（John Milton）在《失樂園》（*Lost Paradise*）中寫道：「心智可以使我們在天堂中覺得像地獄，或在地獄中猶如在天堂。」閱讀的習慣豐富我們的心智，讓我們即使在逆境中也能怡然自得。

但願這本書是個啟蒙書，讓孩子從「我想我行，我想我行」一路進行到「我就知道我行，我就知道我行」的人生顛峰境界。（原載於《小火車做到了！》，推薦序）

02 遺失才知珍惜

《失物招領員》是一本很奇特的童話書，當你拿起這本書來看時，你可能五分鐘把它讀完，你放下來，卻沒辦法做別的事，因為你的心思被它佔據了。你把它拿起來再讀一遍，這回你讀得慢了，因為你讀的已經不是這個故事而是你小時候的記憶了，你或許也有個很喜歡的玩具，突然之間不見了，你也曾到處找，卻無影無蹤，現在你多麼希望有間像書中的遺失或遺忘的房間讓你可以進去看。

然後你看到「遺忘」和「遺失」的標題，你感到震驚。這兩個名詞的後果雖然一樣，中間的歷程卻是這麼的不同，遺忘是你玩膩了，不要了，久而久之，就遺忘了；遺失卻是心裡的痛，一個你很珍愛的東西因為一時的疏忽，從你

書名：失物招領員
作者：吉斯伯
繪者：艾方索
譯者：湯世鑄
出版：格林文化

的手掌中流失，你的眼睛再也看不見它了。遺失的感覺是過了五十年你仍可以感到那個痛，因為它的失去不是你心甘情願的。

這本書很令人震撼，簡簡單單一個故事，卻可以觸及每個人的心靈深處，人一生都有一些無奈的事，被迫的放棄是遺失中最刻骨銘心的，在畢業後的同學會中常會看到這種尋尋覓覓的眼睛，很感嘆人世間沒有一間這種遺忘或遺失房間，讓人再尋回他失去的珍物。

我小時候曾有一盒彩色蠟筆，在民國四十一年時，全新沒有人用過的蠟筆真的跟天上的星星一樣，是可望而不可即的，直到今天我還想不出來現在有什麼東西可以跟當年那盒蠟筆相比。我捧著這盒蠟筆走來走去，捨不得用，生怕一用蠟筆頭就不尖了，但是我在心中畫了很多張的畫，都塗滿了這二十四種顏色。

有一天，晴天霹靂，蠟筆不見了。我一直找，只要眼睛張開就找，都找不到，多年後，我已長大，不再畫畫了，在一個大人嚴禁不准開的櫃子裡看到了它。我不知道誰把它藏到那裡，或為什麼，但是過了五十年，那種失落的感覺依然鮮明。我想這是為什麼這本書這麼令人放不下來，每個人都會在字裡行間看到他自己過去遺忘或遺失的情懷。

你或許會奇怪卡布列爾的陀螺是在上學的路上或在學校丟掉的，為什麼會在一間從來沒有人知道的房間裡找到它？就像我的蠟筆為什麼會在一個小孩子搆不著的大櫃子發現？當一樣東西丟掉時，就不能去想了，因為它已經超越了你的控制範圍，想破了頭也是如此，只有放下。

人生有很多事是失去就如流水，一去不再返，我們的青春就是一例。但是我們多麼希望真的有這麼一間遺失和遺忘的房間，把我們失落的玩具、友情、童年、純真一一掛在牆上，等待著我們重新尋回。從大腦的記憶理論來說，只要存進長期記憶就永遠在那裡，你只是提取不到而已，就如書中老人說的「不是所有來這裡的人都能找到他遺失的東西」，找到的人是運氣。最福氣是一開始便守住，不讓它遺失，可惜人都沒有這種智慧，總是要到遺失了才看到它的好。

一本薄薄的童話能讓人有這麼深的感觸，真不容易，這是本難得的好書。

（原載於《失物招領員》，導讀）

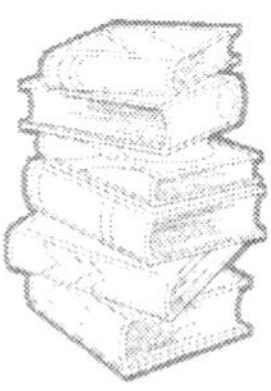

03 帶領孩子走進知識瀚海

編百科全書是件吃力不討好的事，因為天下事這麼多，包羅萬象再怎麼周全，都會有遺珠之憾。但是相對的，假如你只能買一本書時，你會挑百科全書，因為什麼都在裡面，一本可抵十本，因為如此，在兒童啟蒙書中，小百科是最吃香的，父母親都認為買一本在手，一方面可以應付孩子問不完的「為什麼？」另一方面可以啟發孩子的興趣，及早發現他的未來走向。

所以市面上，各種小百科琳瑯滿目，真是各式各樣，形形色色，令你眼花撩亂，但是要挑一本可以引起孩子動機的好的小百科卻很不容易，大人希望它的文字解說多一點，孩子希望彩色圖片多一點，真是順了姑意，逆了嫂意，令編輯為難。不過，百科最難是一個人獨力不可能編成，通常必須集眾人之力，

書名：我的生活小百科
作者：法國拉魯斯維文第普世教育出版社編輯群
譯者：李慕芸
出版：小天下

因此，目前好的小百科背後都有大出版社，用雄厚的財力支持一個編輯團隊，窮數年之力，完成一本書。

《我的生活小百科》就是在這個情況下產生的，它用漫畫的方式將一個孩子所可能想知道的知識，用邏輯的思考方式編排，從人的自身發展談起，再推到周邊的環境、城市生活中的行業、交通工具、建築物，再到季節時令、春夏秋冬的特色、氣候的形成，談到小孩子最喜歡的恐龍（從恐龍切入動物主題是個很聰明的做法，在國外，沒有孩子不能把長長的暴龍、翼龍的名字朗朗上口的），從遠古絕跡的動物再回到現在可以看得見的農場的動物、野生的動物、城市的動物（這一章的分類法是別的百科沒有的，從標題看我以為他指的是人，想不到是鴿子、麻雀、老鼠、螞蟻，不過獨漏了蟑螂），這裡父母可乘機指出動物會隨氣候的區域性而不同，有些動物只有熱帶有，有些動物只有寒帶有。

任何兒童書都是親子共讀最好，百科全書尤其是，因為書本不能太厚重到幼兒拿不動，有些資訊必須省略，這時父母若能在旁深入一點的解釋各地風土人情的不同、生態上的差異，做些比較，對孩子知識網的建立會事半功倍。

或許是因為小孩子都偏愛動物，所以這本小百科對動物的介紹也非常詳盡，從熱帶雨林，極地動物，到天上飛的、陸地跑的、水裡游的，都解釋得很清楚，而且圖文並茂，插圖畫得尤其有趣：企鵝在冰崖上跳水表演，北極熊手上抱著一隻小海豹。它特別把澳洲的動物提出來講，這可能是因為澳洲在地球大陸板塊形成時就與其他洲分離，成為一塊獨立於世的大島，因此澳洲動物的演化與其他相連大陸的動物很不一樣，有著世界上最多的囊袋動物，如袋鼠及台灣兒童最喜愛的無尾熊，所以澳洲的動物值得特別分出來介紹。

在動物之後，本書轉入植物，它的編排也跟動物一樣，從生命的開始談起。水果是植物的種子，講這一章時父母可以添加台灣本地的水果，如芒果、蓮霧、龍眼，因為水果是台灣人的驕傲，我們一年四季吃到新鮮美味的水果，是全世界沒有其他地方做得到的，每次我去市場看到鮮豔欲滴的水果，就為我們農民的智慧與勤奮感到驕傲，同時孩子對這些水果已經很熟悉，可以產生親切感。

最後，本書討論到保護地球以及我們在宇宙中的地位。我很喜歡這種編排，在了解完自己周邊的一切後，應該放眼世界，去了解人在宇宙中的地位，才不會自大、自滿。所謂登泰山而小天下，人如果沒有放眼未來就會滿足於現況，就易陷入夜郎自大的境界，所以必須看宇宙才知自己的渺小，才會謙虛、惜物、惜福。

本書最後以飛上太空為結語，三十五年前，美國第一次登陸月球，尼爾•阿姆斯壯（Neil Armstrong）說「我的一小步，人類的一大步」。人類從一九二七年林白（Charles A. Lindbergh）第一次飛越大西洋到一九六九年太空人登陸月球，在短短的四十二年間，克服重重障礙完成了我們祖先想都不敢想的壯舉，這一切，如果沒有文字使我們可以傳承先人的智慧，讓我們可以站在前人的肩膀上，看得比他們更高更遠，是不可能完成這個夢想的。

因此教育是最值得的投資，孩子的心靈是一個國家最寶貴的資產，當孩子打開一本書，他就打開了一個世界。小百科可能價格不菲，但是沒有什麼比心智啟發的報酬率更高，這是一本老少咸宜的有趣書，請利用它帶領您的孩子走進浩瀚的知識大海。（原載於《我的生活小百科》，推薦序）

04 情緒管理及早教

看完《我的感覺》這套書，我很佩服編輯的眼光。這套書挑得好，內容有深度，它不因是兒童書而流於膚淺，失去內涵，它用兒童可以懂的語言把道理講出來。孩子有嫉妒、恐懼、憤怒這些情緒是正常的，不必否認它，更不必覺得羞恥，但是要懂得怎麼排解。本書所列舉的排解方法都是簡易可行，孩子做得到的，父母可以念給孩子聽，讓他去想像情境，然後實際體驗這個情緒的排解。

孩子最常感受到的情緒便是嫉妒，作者告訴孩子什麼叫嫉妒：當你感到刺刺的、熱熱的、很不舒服時，這就是嫉妒在作祟了。為什麼會感到嫉妒呢？因為我們對自己沒有信心，害怕自己沒有價值、不重要，害怕別人不再喜歡自己

【我的感覺】系列
作者：康娜莉雅・史貝蔓
繪者：凱西・帕金森
譯者：蕭富元
出版：天下雜誌

了。人是社會動物，非常需要別人的肯定與接納，青少年很容易盲目追隨時尚流行的一個原因，就是他們對自己沒有信心，還不了解內在的我才是真正存在的價值，外表的我是不重要的。為了吸引別人的注意，青少年會千方百計的標新立異，用與眾不同來突顯自己，因此處理這種行為的釜底抽薪方式便是建立孩子的自信心，讓他以自己為傲，所以作者告訴父母不要把孩子跟別人比較，要讓孩子知道他是有長處的，是重要的。

當嫉妒不舒服的感覺出現時，父母可以教孩子以做他喜歡的事把這種不舒服的感覺排解掉，也就是說，從小教孩子從書本、從嗜好中排遣不愉快的感覺。這點非常重要，學會了可以使孩子一生受用不盡。

小小的孩子也很容易感到害怕，因為父母必須出門謀生，而父母正是孩子最信賴的人，所以作者告訴父母不可以騙孩子，不可以趁他不注意時偷偷溜掉，這只會增加孩子的不安全感；要先告訴他媽媽一定會回來，然後在約定的時間內出現，讓孩子建立信心：母親不在眼前沒有關係，等一下會再出現。最重要的是常擁抱孩子，讓他跟父母肌膚相接，產生安全感；父母在擁抱孩子的同時，要教他在感到害怕時該怎麼辦。

書中舉的方法都很好，害怕是連大人都會有的感覺，完全不可恥。電影《國王與我》（*The King and I*）中，安娜初到暹羅國，人生地不熟，感到害怕，她告訴她的兒子：當你感到害怕時，就吹口哨壯膽；電影《真善美》（*The Sound of Music*）中，瑪莉亞也告訴馮崔普家庭的孩子，當你感到悲哀時，去想你最喜歡的東西來排解悲哀的情緒。

憤怒也是一種很常見的情緒，現在社會上這麼多兇殺案、家暴案，常令我感嘆我們沒有從小教孩子什麼叫憤怒，也沒有教同學不要取笑別人、老師不冤枉學生（書中的例子），最主要的我們沒有教孩子如何化解憤怒的情緒。基本上，情緒是當時的心理狀態，如果我們了解這個感覺的由來，懂得用另外的情緒取代它，這個不愉快的情緒很快就會過去。所以夫妻吵架，有一方要離開現場，因為冷靜後，理智重新出現，事情才可能解決。

情緒管理要及早教，這本書雖是寫給小孩子看的，但是許多道理對大人也適用，它教孩子不推別人，因為我不喜歡別人推我；它教孩子與人分享，因為當別人與我分享時，我感覺快樂。像這種同理心的教育如果沒有從小教起，人自私自利的動物本性就會出現。教育的目的是使人超越動物的本性，但是很多習性從小不教，長大就教不來了，這個孩子就變成人見人厭的動物了。

這套書最好的地方在於它把情緒的症狀清楚的描寫出來，然後告訴孩子該怎麼回復情緒的平靜。這是一本父母、老師都應該讀的書，它不但可以應用到孩子身上，對我們大人也是一個絕佳的反省。（原載於《我的感覺》系列套書，推薦）

05 訓練思考，受用一生

小孩子其實遠比我們想像的懂事得多，我一直認為只要孩子想知道便可以教，我們可以多教，只要不考便沒有關係。當孩子問為什麼時，你要用他可以懂的語言編一個為什麼的故事給他聽，這樣他長大後就知道凡事必有因，如果這個因不合理，他便會去追究，這就是科學精神的根。

千萬不要說：「你不懂，等你長大以後再說！」這種回答像在興頭上被人潑一盆冷水，會扼殺他的好奇心，如果次次都以「你不懂」來打發，久了孩子就不問了，因為沒有人喜歡做沒有結果之事，於是就養成凡事等你來告訴他，不去追究原因，不去尋求解決方法的被動個性。「你不懂」這三個字可能就斷送掉一位傑出科學家。在商場上，乖乖聽話的孩子只能做夥計，不能做老闆，

書名：兒童大學2：世界頂尖科學家為你解開八大世界之謎
作者：烏利希・揚森＆烏拉・施托伊納格
繪者：克勞斯・恩西卡特
譯者：王萍＆萬迎朗
出版：平安文化

父母既然希望孩子成龍成鳳，就不能再用傳統的搪塞方式教孩子。

我的老師曾經告訴我一個笑話：每年感恩節時，他的太太都把火雞用碗籃覆蓋著，然後才送進烤箱烤，他女兒結婚後打電話回來問怎麼烤火雞，他太太便如此這般教導，說到碗籃時女兒問為什麼，她答不出個所以然，最後打電話去問八十高齡的老母，母親笑著說：「傻孩子，這是因為家裡那隻花貓喜歡偷吃火雞啊！」這位教授家中不曾養過寵物，因此火雞完全不需要用碗籃覆蓋，但是因為不知道原因，如此這般蓋了三十年，還差一點變成「華倫家傳統」。

這種不求甚解、不知道原因，便有樣學樣照著做，其實就是我們迷信的由來，但是一旦迷信形成風俗就很難改變，因為人喜守成不喜革新，尤其我們大腦有合理化的傾向（大腦會替自己不合理的行為找藉口，使行為合情理，當我們不喜歡一個人時，常將他的缺點放大），在找不出科學上原因時便傾向「怪力亂神」的解釋。台灣到現在還有收驚、吃符水等不科學的事。

其實人吃五穀雜糧一定會生病，但是細菌太小，肉眼看不見，於是就穿鑿附會出許多神鬼的解釋將病因合理化，便去廟中拜拜、收驚。一般的感冒是病五天，當你第三天很不舒服去找醫生時，最嚴重情況已經過去，身體已朝著康復的路上走了，即使不吃藥，身體的免疫力也會使你慢慢好起來，與收驚或符水無關。要使台灣變成科學島，我們還有一段很長的路要走。

所以，要推動台灣科學生根，我們要在孩子問問題時儘量用孩子會懂的話教他，即使他現在智慧沒有開，看不到前因後果也沒關係。因為在教的過程中，訓練了孩子思考，也訓練了他的邏輯步驟，這種能推理、能獨立思考能力是科學精神的根基，也是孩子一生受用不盡的處世能力。

最成功的教育方法是把學生當做大人般的尊重，如孩子般的寬容，如朋友般的談心，如徒弟般的教誨。《兒童大學2：世界頂尖科學家為你解開八大世界之謎》這本書的許多觀念我都認為很對，希望它能改變一些傳統的教育方法，領著台灣朝科學化的路走去。（原載於《兒童大學2：世界頂尖科學家為你解開八大世界之謎》，推薦序）

06 腦與行為的關係

相信許多人小時候都有過這個經驗：炎夏的午後，無聊的在街上走著，突然手指摸到褲子口袋角落有塊硬硬的東西，拿出來一看，原來是塊糖。手指問：「這是什麼呀？」大腦想了一下說：「哦，是很久以前人家給的糖。」眼睛一看就說：「不能吃，髒死了，上面都是布屑灰塵！」嘴巴急忙說：「那有什麼關係，骯髒吃，骯髒肥，還是可以吃的。」手指捏了捏說：「都有點軟了耶？」舌頭急忙說：「沒事，沒事，你看，還甜得很！」順便把手指頭上剩餘的甜味再吸了乾淨。

吃了糖，想喝水，大腦就說：「公園裡有水龍頭，可以喝水。」腳就開始朝公園的方面走去。身體在冒汗，就催腳走得快一點，眼睛就朝有樹蔭的方向

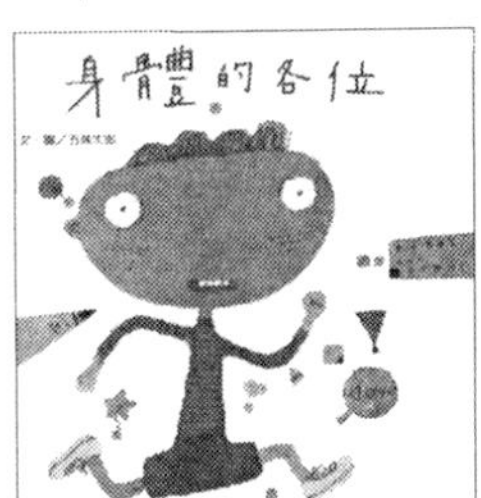

書名：身體的各位
作者：五味太郎
譯者：蔣家鋼
出版：信誼基金

看去，在樹蔭下走，涼快些。走進公園，公園裡有個噴水池，眼睛一看到就大叫：「水！水！」身體熱得受不了了，就想把衣服脫掉，眼睛四處張望一下：「咦？天太熱了，大家都躲在家裡，四處都沒有人影。」大腦說：「那就脫了吧！脫了涼快些。」身體各部分立刻精神一振，腳優先採取行動，跳了下去，後面就是訓導主任捉去罰站的故事結局。

相信這是許多人童年的回憶之一，中國孩子的故事結局多半是被老師或訓導主任捉去，這點與日本人很不同。

《身體的各位》這本書把一個行為分解出來，從意念開始，大腦與身體各部分的對話用插圖描寫出來，讓孩子知道雖然這只是個簡單的動作（將糖放進嘴裡之前的大腦一閃而過的各種念頭），但是它其實動用到很多的神經元及過去的經驗，這個看似簡單的小故事，讓孩子了解一個動作背後其實是有一串複雜的神經迴路在主導，只是大部分動作都自動化了，不自覺而已。人生很多事我們都認為理所當然，不加以感恩，其實每件事的成功都是很多人的努力，這個故事教孩子學會反思。

認知科學是這個世紀的顯學，它告訴我們大腦與行為的關係，很高興台灣

的教育者和出版社已注意到這個潮流，開始從腦與行為的關係重新解釋教育的意義了。（本文為《身體的各位》導讀）

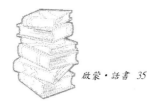

07 從知識中找出對抗病菌之道

　　我們生活在一個充滿微生物的世界裡，只不過它們太渺小了，我們肉眼看不見就忽略了它們的存在。其實細菌是世界上最古老的生物，它們已經存在三十億年以上，比人類早了許多，大部分的微生物是無害的，少部分會引起我們生病，我們將它統稱為病菌，但是事實上，病菌可以包含四大類：細菌、病毒、真菌和原蟲。我們最熟悉的是前面兩種，對真菌和原蟲比較陌生，不過相信大家都聽過瘧疾，瘧疾就是由瘧疾原蟲引起的。《看不見的病菌》這本書主要介紹細菌和病毒，因為我們對熟悉的東西比較容易有興趣，也比較願意了解。

　　細菌很小，要用顯微鏡才看得見，而病毒又比細菌更小一百倍，對於看不見的敵人我們該如何抵抗呢？幸好自然界是一物剋一物，我們身體有自己的免

書名：看不見的病菌
作者：楚迪・羅門尼克
繪者：羅斯・凱利斯
譯者：陳昭蓉
出版：小天下

疫系統。我們血液中有天生的殺手細胞，會殺死已經被病菌感染的細胞；巨噬細胞則負責偵測入侵的敵人，然後通知B細胞和殺手細胞將敵人殲滅，B細胞在確認出危險的病菌後就會產生抗體，抗體就附著在病菌上，作為標記，巨噬細胞和殺手T細胞一看見就把有記號的細胞撲殺，同時輔助性T細胞會立刻下命令複製殺手T細胞，以補充兵源。

因為這些生力軍是在淋巴結製造的，所以生病時，醫生常摸你的淋巴結看有沒有腫大。我們的免疫細胞是過目不忘的，只要見過一次，一輩子不忘記，下次病菌再侵入時，細胞馬上知道它們是壞人，立即撲殺，所以麻疹、天花等疾病得過一次以後，終身免疫。

發熱也是身體對抗病菌的方法之一，體溫上升可以利用熱來殺死細菌，同時阻止病菌複製。說到病菌的複製，那真是非常嚇人，病菌是二十分鐘一個世代，每二十分鐘，兩個變四個，四個變八個，八小時之後，一個細菌可以分裂成一千七百萬個病菌，這就是為什麼科幻小說《奈米獵殺》(*Prey*，中譯本遠流出版）中那些奈米病毒看起來有智慧，可以學習，因為二十四個小時之內它們就已經歷無數世代，足以演化出適應的對策來。

中國人說「人吃五穀雜糧，沒有不生病的」，所有疾病中，每個人都得過的大概就是感冒。感冒時，我們流鼻涕、打噴嚏、喉嚨痛、咳嗽，這些病狀在於濾過性病毒進入我們的呼吸道，切入我們的細胞，讓我們的細胞替它複製病毒，我們的身體急忙輸送更多的血液以修補受損的細胞，運送白血球去作戰。這些增多的血液就造成喉嚨、鼻子腫塞，使你呼不過氣來。身體同時增加鼻子黏液以黏住病毒，把它排出體外，所以下次你流鼻涕、打噴嚏時不要抱怨，那是你的身體在作戰，你應該立刻放下工作，洗個熱水澡去睡覺。睡覺是補充體力最好的方法，你應該盡力幫助你的身體對抗敵人。

在盤尼西林發明以前，人的平均壽命只有四十九歲，現在增加到男性七十三歲，女性七十八歲。在享受醫學帶給我們的利益之時，請記住，預防永遠勝於治療，最佳的健康策略是廣讀醫學的書，增加自己的常識，知道病菌怎麼進入，也知道自己的身體怎麼運作，從知識中找出對抗病菌，保持健康之道，所謂「知己知彼，百戰百勝」，知識永遠是力量。（原載於《看不見的病菌》，序言）

08 了解腦，從小開始

遠哲基金會自成立以來一直致力於科學往下紮根的工作，我們希望培養學童的科學精神，使他們遇到事情時有獨立判斷的能力，不會盲從。但獨立判斷的能力背後的一項必要條件便是知識，沒有知識如何能判斷孰是孰非呢？因此，遠哲基金會開始把國外一些好的兒童科普書籍引進來，翻譯給國內的小朋友看，增加他們的基本知識。我們選書的標準是：資訊正確，內容活潑，插圖討喜，《腦》這本書就是在這個條件下被選中的。它是遠哲生活科學系列叢書中的第十本。

大腦主宰著我們的行為，大腦有一點點病變，行為立刻跟著變化，但是我們對腦的了解卻非常的粗淺，大家只要看大街小巷林立的右腦訓練班、左腦訓

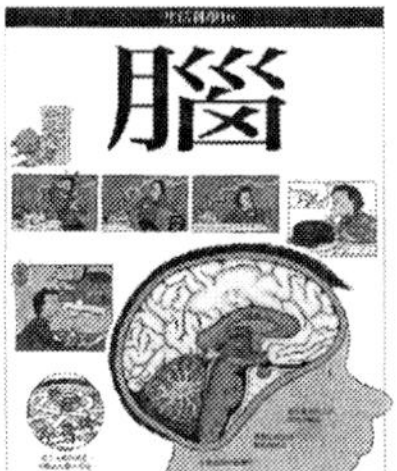

書名：腦
作者：Rebecca Treays
譯者：賴皇伶
出版：遠哲科學教育基金會

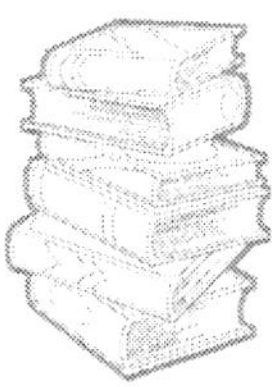

練班、潛能開發補習班就可以知道了。這些補習班都是不實在的廣告，因為嬰兒的腦是左、右二腦一起發展，絕非日本人所說的右腦先發展，到了三歲才啟動左腦。

人的兩個腦半球的確是各有所司、各有所長，正常人的兩個腦半球是靠著一束叫做胼胝體的厚厚神經纖維聯結在一起的，通常我們看東西時會轉動頭、轉動眼睛，使刺激落在視網膜的中央小窩上，那裡的神經細胞最多，看得最清楚，落在中央小窩的訊息是兩個腦半球都收取到的，正常的時候，刺激是不會只落到左腦或右腦，而是兩個腦半球都收取到。日本人所說的只有左腦激發或只有右腦激發，那是只有在實驗室中經過特別的操弄才會使刺激落入左腦或右腦半球，因此，除非是坐在實驗室中，而且兩個腦中間的橋梁胼胝體是剪斷的，不然無法只激發右腦或左腦而不使訊息經過中間的胼胝體傳到左腦，或是右腦去。

因此，右腦訓練班、左腦訓練班是完全沒有一點科學根據，它是針對社會大眾的無知及父母不欲孩子輸在起跑點上的心態而設計的。看到這麼多的同胞上當，花冤枉錢，我們決定從教育人自己的身體開始，把正確的知識傳給小朋友及家長。

這本書的知識是正確的，雖然為了給兒童看，內容有簡化，但是它的觀念和訊息都是正確的。我們希望孩子們在了解了腦的結構、功能和它的重要性之後，騎機車或腳踏車時會自動戴安全帽，遊戲玩耍時也不要以同學的頭作為攻擊、投擲的目標。近年來校園意外的事件頻頻發生，基本上發生的原因都是學生認為好玩，不了解「好玩」背後的嚴重性；換句話說，我們沒有把應該知道的知識及時的傳輸給他們。如果同學知道了腦的重要性，或許就不會拿掌管我們生命中樞的器官開玩笑了。

「知識就是力量」，在邁入二十一世紀的今天，我們希望提供學生「知識」，在他們身上形成「力量」。（原載於《腦》，導讀）

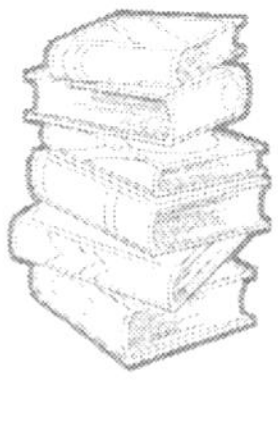

09 科學人文不分家

很多人都認為科學與人文是截然不同的兩回事，常看到媒體大張旗鼓的宣傳，邀請名人正襟危坐的對談，好像它們真的是涇渭分明的東西，需要相互溝通才能了解。其實科學與人文是同一棵樹的兩根大枝，它的根就是哲學家一直追尋的主題：我們從一生下來的如一張白紙，如何學習變成現在會說話、會思考、會判斷、會做事的大人？

哲學是所有科學的根本，也是它的照明燈，愛因斯坦說：「科學沒有宗教是跛的，宗教沒有科學是瞎的。（Science without religion is lame. Religion without science is blind.）」這棵知識論的大樹，當枝葉茂密各自發展時，常使人誤以為它是兩棵不同的樹，但是撥開樹葉，你會看到它源自同一根源。

書名：科學魔咒
作者：約翰席斯卡
繪者：藍史密斯
譯者：郝廣才
出版：格林文化

所以古代的科學和藝術人文是不分家的，達文西（Leonardo da Vinci）、笛卡兒（Rene Descartes）都是很好的例子，達文西設計了許多即使在現代也會嘆為觀止的東西，如飛彈、滑翔機、攻城的工具等等，但是他也是文藝復興以來最偉大的藝術家，他兼容並蓄，同時擁有科學和藝術的才能。笛卡兒是提出心物二元論的哲學家，但也是偉大的生理學家、解剖學家，他用牛眼做實驗，第一次看到視網膜上的影像是倒像，他也是第一個畫出人體反應神經迴路的人。其實能夠用透視法畫風景或靜物的畫家都是很好的心理學家，充分了解人類視覺的運作。

像這種例子不勝枚舉，只是我們現在都只見樹不見林，誤以為它們是不同的，所以，當我看到《科學魔咒》這本用美國孩子朗朗上口的童詩、童謠來描繪科學觀點時，真是很高興，我很贊同書中的牛頓老師說：「各位同學，你們要用心聆聽，每樣東西中都能夠聽到科學的詩句」的觀念，的確，科學和人文藝術是一體的兩面，你只要用心聆聽，就會聽到科學的詩句。

蘇東坡就是在鄱陽湖的石鐘山用心聆聽，找到了石鐘的科學證據。他小時候在讀酈道元的《水經注》時，看到酈道元說「微風鼓浪，水石相搏」，所以發出響亮如洪鐘的聲音，後來他有機會到鄱陽湖時，便僱了小船在深夜潮水上漲時前去觀察，果然聽到如鐘如鼓的聲音，他再循聲追下去，發現原來是山壁下的岩石千百年來被浪花打成深淺不一的石洞，浪衝進去，在裡面迴轉震盪，把空氣壓縮了，就變成我們聽到的鐘聲。蘇東坡是中國歷史上的大文豪，但也是一個求真求是的科學家。

其實書讀得通的人都是好的科學家與實踐者，清朝的紀曉嵐被流放到伊犂時，士兵口渴無水可飲，他看到城中有棵大樹，便叫士兵在樹旁掘井，果然掘到水脈。這些例子都是告訴我們，好的文學家要有善感的心、敏銳的觀察力和清晰的頭腦，好的科學家也是一樣，尤其讀者並不坐在作者的面前，所以作者更需要清晰的邏輯頭腦來陳述事情，使他的訊息能夠超越時空的限制，正確傳遞給讀者。

美國的國會圖書館有一張古老的海報，上面寫著：「閱讀是個雙向魔術，作者把他的思想變成墨水，讀者再把這些墨水變回思想。（It's a double magic: Writers change thoughts into ink. Readers change the ink back into thoughts.）」這本書透過美國孩子熟悉的歌謠將科學概念傳出去，將來孩子會把他們在科學上的新發現再寫成新的歌謠傳給下一代。

如果台灣的孩子對這些歌謠不熟悉，恐怕不能領略作者的巧思，好在書的最後一頁有把這些歌謠名字及原來的歌詞印出來，家長或老師可以對照著旋律套歌詞，這是一個新的傳授科學概念的方式，寓教於樂，值得鼓勵。更希望孩子能從小體會到科學與人文是作為一個現代人必備的常識，不要再把自己歸類為科學人或文化人，為自己的無知找藉口。科學與人文本是同根生，我們不要硬把它拆散！（原載於《科學魔咒》，導讀）

10 五官演化以保命

人是演化的動物，我們的五官是演化來保命的，每一種感官都有它特殊的功能，因此古人有「眼觀四路，耳聽八方」的說法：兩隻耳朵左右對稱著長，使我們可以聽音辨位，憑著千分之一秒的差距，知道聲音是來自左邊還是右邊，左邊進來的聲音先到左耳再傳到右腦，這中間差距雖然只有千分之一秒，就足以不至於誤判。

聽覺在人類還在樹上生活時，非常重要，因為樹葉濃蔭擋住視線，所以在森林中生活的動物聽覺都很靈敏。等到人下到地面、直立行走後，聽力的敏感度逐漸被視覺取代，因為在平原上，視覺一望千里，而聽覺受到聲波傳遞的限制，範圍不像視覺那麼廣，因此船家或軍隊都發展出旗語——用視覺來傳送訊

書名：用耳朵不能吃黃瓜
作者：海麗特・齊飛
繪者：艾曼達・海利
譯者：陳宏淑
出版：信誼基金

息。

當聽覺刺激和視覺刺激衝突時，我們大腦會取中間，以「中庸之道」解決兩者的矛盾，如心理學上一個著名的馬格克效應（McGurk effect），螢幕上出現一張臉，嘴型是ba-ba-ba，但擴音器播出的卻是ga-ga-ga，結果我們就聽成da-da-da了。

我們的眼睛原是從上皮細胞演化而來的，它的結構雖然現在看起來不合理，但在演化的當時是合理的。比如說，我們的眼睛有個盲點，當光線落在盲點上我們會看不見，照說這是很危險的事，但是盲點是血管、視神經離開眼球的地方，所以不能有感受體，不然血管會跳動，我們的視野會不平穩。大自然補救的方式是給我們兩隻眼睛，可以互補所缺的那一點，因此平常我們並不會感到眼睛中有個盲點，我們的視野是完整的。

此外，在視網膜中，下半部的感受體比上半部多，因為人類是到最近一百年才有飛機，千百萬年來，我們的敵人都是來自地面（蛇、老虎、熊等），所以往下搜索的能力更為重要，下半部的感受體就比較多了。

我們眼睛並排著長是為了讓我們有深度知覺，兩隻眼睛中間大約間隔六十五到八十毫米，物體的影像投射到視網膜上再傳送視覺皮質時，這一點點的影像差別可以讓我們看出深度，形成深度知覺。

嗅覺在遠古時候很重要，但是當人站立起來行走，遠離地面之後，嗅覺的重要性也如聽覺一樣慢慢被視覺所取代，但是嗅覺仍然為提取情緒記憶最好的線索。我們童年的很多往事都忘記了，但是一回到阿公家，聞到那熟悉的味道，這些記憶就浮現出來。

事實上，嗅覺比味覺重要，因為有毒的東西多半有惡臭，東西腐敗了，也有令人作嘔的味道出來，鼻子聞到這個味道，就會關掉我們的食慾，保護我們不吃壞肚子，甚至中毒而送命。在演化上，味覺的重要性不及嗅覺，雖然神農嘗百藥，很多苦的東西也多半有毒，剛出生的嬰兒嘗到金雞納霜都會皺眉、把舌頭吐出來，但是如果把一個人的眼睛矇起來，鼻子用曬衣夾夾住，然後餵他吃蘋果和洋蔥，他也分不出來差異，所以中國人說飲食是色、香、味，必須三者俱全，我們才會感受到食物的美味。

觸覺在五官中算是不敏感的，但是只要有一隻螞蟻爬上你的手臂，你立刻就知道，因為手臂上有汗毛，當有東西經過，立刻感覺得到，蚊子常喜歡叮人的足踝，也是因為那裡沒有汗毛，等我們感到一陣癢才發現被蚊子咬了，那時牠早已飛走，免去被打死的危險。

其實人在古老的時候觸覺也是很敏感的，老鼠臉上的鬍鬚每一根都在大腦的皮質區有相對應的神經元，因此，如果把老鼠的鬍鬚剪掉，縱使牠還有眼睛也不能走迷宮了，因為老鼠對於觸覺的仰賴遠大於視覺。盲人依靠觸覺生活，他們的觸覺會很敏銳，當用手指讀點字時，他的視覺皮質區同樣也會活化起來幫助觸覺的。

我們可以看到五官的演化完全因應外界環境的需求而變，人是一種非常有彈性的動物。

我們的五種感官都是演化來幫助我們生存的，因此要好好愛護它，你要細細去體驗每一種感官的功能，才會知道作為一個人是多麼的奇妙！（本文為《用耳朵不能吃黃瓜》導讀）

11 勇於追求自己的夢想

《我的夢想》這個系列共有七本書，主角都是歷史上的人物，他們本來會被時間的洪流所淹沒，但是因為他們有夢想，更有勇氣，鍥而不捨的追尋自己的夢想，所以現在百年之後我們才會讀到他們的生平小故事，知道了他們的存在；更因為有他們，我們現在才有這麼好的文明與生活。

人世間有許多事原本不會發生，如果不是有人動了這個念頭，又鍥而不捨的實現這個念頭，地球上就不會有這麼多發明出現。一九五九年，諾貝爾物理獎得主理查・費曼（Richard P. Feynman）教授在演講快要結束時說：「如果有朝一日，人們可以將百科全書放在一個針尖上，並能移動原子，這個世界將會是個怎麼樣的奇妙世界。」一九七一年，ＩＢＭ果然就做出了第一片微晶片，我

【我的夢想】系列
譯者：劉清彥
出版：天下雜誌

書名：《胡安娜的圖書館》
作者：派特・莫拉／碧翠絲・維托

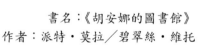

們的世界從此就不一樣了。

同樣的，在這個系列的書中，如果以斯帖・墨里斯沒有動過婦女應該有權利投票的念頭，她就不會把懷俄明小鎮的鎮民找到她的木屋中喝茶，跟競選公職的候選人說，如果他選上，他要提法案讓婦女有投票權，後來他選上了，法案通過，一八六九年，懷俄明的婦女就可以投票了。在這裡，我們看到一個觀念的改變是很慢的，又過了五十年，一直到一九二〇年，美國的婦女才全部可以投票。投票本是我們認為國民天生的權利，但是天生的權利沒有經過爭取也不會落到你的頭上來，今天美國婦女可以投票，墨里斯的功勞不可沒。

又如果瑞秋・卡森沒有在樹林裡撿到一塊海洋生物的化石，她很可能不會去念生物系，就不會寫出震驚全世界的《寂靜的春天》（*Silent Spring*）這本書，因為大家都沒有想到ＤＤＴ等農藥的噴灑已使昆蟲鳥類絕跡，我們所熟悉的春天將不再是鳥語花香了。她的書使全世界人民覺醒，了解到如果不善待我們生存的地球，我們將被自己種的惡因所毀滅。在歷史上，沒有任何一個社會運動是由單一女子、單一本書所引發而且效應持續五十年之久仍然不斷在擴散。到現在為止，也沒有任何一本書像《寂靜的春天》那樣喚醒人類的良知，了解到

書名：《少年林肯——對樹說話的男孩》
作者：伊莉莎白・凡・史汀威克／比爾・法恩渥斯
書名：《讓時間旅行的約翰・哈里遜》
作者：凱瑟琳・拉斯基／凱文・霍克斯
書名：《中國鬥牛士王邦維》
作者：艾倫・賽伊

我們只有一個地球，要將這個好山好水留給後世子孫。

這系列中其他的書如中國的鬥牛士王邦維、第一個測量出經度的約翰・哈里遜、好學不倦的胡安娜、第一個創立美國鳥類學會的約翰・詹姆斯・奧杜本，以及美國總統林肯，都是因為他們有個夢想，不畏艱難去追求，才會帶給我們今天豐富的文化遺產。奧杜本所繪的鳥類圖鑑至今仍在出版，而且被收藏家珍藏。他們的勇氣與毅力使他們自己名留千古。

讀偉人小故事讓我們興起見賢思齊、見不賢而內自省之心，歷史故事尤其讓我們看到我們在這世界的定位，知道自己在這世界所能停留的時間是非常的短，的確如古人說的百代之過客，我們要好好利用有限時間使自己在這地球上留下一個永久的痕跡。唐宋八大家的韓愈曾說「化當世莫若口，傳來世莫若書」，英國前教育部長布朗奇（David Blunkett）也說「閱讀解放我們的心靈」，這七本書的故事來自各個不同領域，主人翁跨越不同世紀、不同種族、不同性別，但是他們都有一個共同點：勇於追求自己的夢想。

年輕人，不要擔心你的夢太離譜，當理查・費曼在說把大英百科全書縮到一個針尖時，有誰會相信他呢？當王邦維要去做鬥牛士時，有誰會看好他呢？

書名：《畫鳥的男孩：鳥類觀察家約翰・詹姆斯・奧杜本》
作者：賈桂琳・戴維斯／梅莉莎・斯威特

書名：《熱愛大自然的女孩：瑞秋・卡森的故事》
作者：艾美・厄莉克／溫德爾・敏諾

書名：《我做得到！——為婦女爭取選舉權的以斯帖・墨里斯》
作者：琳達・艾姆斯・懷特／南西・卡本特

但是有夢而不去實現是白日夢，《菜根譚》說「講學不尚躬親為口頭禪」，口頭禪就沒有意義。希望年輕的讀者不但要勇於作夢，更要有毅力和勇氣把夢想實現出來，為自己在這世界上留下一個值得後人紀念的功業！（原載於《我的夢想》系列套書，推薦）

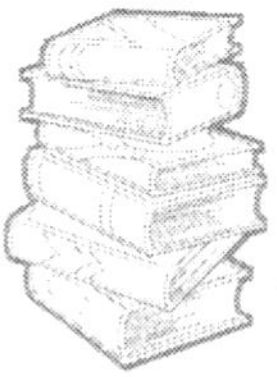

12 在遊戲中培養閱讀習慣

這是一套包羅萬象的叢書，一共四十本，適合的年齡層是〇到三歲，因為是啟蒙書，所以設計的方式是希望幼兒在親子閱讀中邊說邊學習一些基本的觀念。

新加坡的總理李光耀在他退休時曾經發表一篇演講，呼籲新加坡的父母注重孩子閱讀，因為二十一世紀變動得太快，傳統科技五年翻新一倍，高科技十八個月就翻新了一倍。在資訊快速更新的時代，閱讀是吸取資訊最快、最有效的方式。因為我們的眼睛看字是平行處理，一分鐘可看四百到六百字不等（依各人閱讀習慣而異），但耳朵聽話是序列處理，字與字之間必須留空白，不然兩個字會糾結在一起，無法辨識，一般人的耳朵一分鐘大約聽一百六十個字。所

書名：【My First 多元智慧寶盒】
出版：閣林

以，在高科技的時代，閱讀是二十一世紀公民必備的競爭能力。

因為語言是本能，閱讀是習慣，所以必須從小培養這個習慣，一個正常的孩子生活在社會中，沒有人教，自己會學會說話，一個正常的孩子，生活在社會中，沒有人教閱讀，他是文盲。文字的發明才五千年，就人類的歷史來說，太短了，短到不可能登錄在我們的基因上，因此它還沒有發展成本能，必須後天培養才會成為習慣。又因為在實驗上看到小學三年級以前養成閱讀習慣的孩子，到進大學時，大腦中有二十萬個字根的辭彙，而一個沒有閱讀習性的孩子進大學時只有六萬個字根，在現在的社會，一個六萬字根的人是無法在職場上跟二十萬字根的人相比較。因此培養孩子閱讀的習慣，就成為二十一世紀父母給孩子最好的禮物也是責任。

所以市面上有各式各樣的閱讀啟蒙叢書可以讓父母唸給孩子聽，養成親子共讀的習慣。我每次演講時，都有很多人問為什麼不變成有聲書，給孩子聽錄音帶即可？親子共讀與給孩子聽錄音帶有差別嗎？答案是「有」，親子共讀有一個沒有任何東西可以取代的感受——那就是被父母抱在懷裡，溫馨共讀的安全感。

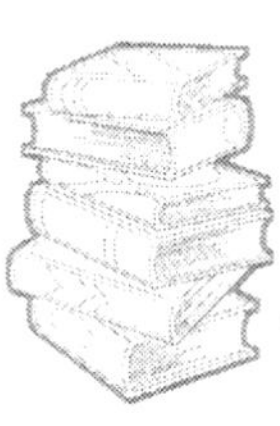

安全感是孩子成長中最重要的因素，我們都忽略了它，以為給孩子最好的物質享受就是最好的教育方式。其實自古到今，兒不嫌娘醜，孩子要的是父母親的陪伴，不是山珍海味或錦衣玉食。現在也有很多的實驗發現，童年的安全感對他以後人格的形成有很大的關係。因此世界各先進國家都推廣幼兒福利，延長母親的產假，給父親育兒假，設立公司托兒所，使母親可以哺乳，許多國家還補助幼兒啟蒙書的出版社與製作（幼兒書許多是布做的，方便幼兒放進嘴去咬而不破），贈送給低收入家庭閱讀，尤其是親子閱讀，已經成為二十一世紀的趨勢，世界上所有的先進國家都卯足全力在推動它。

我很高興我們的民間公司看到了這一點，大力引進國外的書，將它翻譯過來給我們的小孩子看。我常覺得台灣的生命力在民間，這是一個例證，希望使用《My First 多元智慧寶盒》這一套啟蒙書的父母都能夠寓教於樂，在遊戲中培養出你孩子喜歡閱讀的習慣！（本文為《My First 多元智慧寶盒》叢書推薦序）

2

青春

悅讀

01 激發想像力的入門書

想像力是創造力的根本，而閱讀是激發想像力最好的方式，作者透過妙筆生花的文字將讀者帶入一個前所未見的世界。美國國會圖書館有張很有名的海報，畫著一個古裝少女拿著一本書在閱讀，旁邊寫著「閱讀是個雙向魔術，作者把他的思想變成墨水，讀者再把這些墨水變回思想。」閱讀一本好的小說真的是像變魔術，它完全掌握住你的注意力，讓你廢寢忘食，跟著書中人物起舞，同喜同悲。

《海底兩萬里》就是這樣的一本小說，在十九世紀人們對海洋還一無所知時，它帶領了無數讀者遨遊在想像的海底世界，鼓勵了許多年輕人前往海洋發展，我指導教授的先生就是看了《海底兩萬里》後，為它著迷，立志航海，後

書名：海底兩萬里（上下冊）
作者：朱勒・凡爾納
出版：閣林

來當上美國潛水艇的艇長。

科幻小說寫的是尚未發生的事，是對未來的預測，它必須是有根據的想像才會打動讀者的心，坊間每年都出版很多新書，但是最後能留在書架上歷久不衰的還是那幾本經典。一本書會成為經典是有它的道理的：第一是書中人物的描述要能引起讀者共鳴，使讀者認同主角，更進一步化身為主角，做到這一點，小說便成功了。

第二是真實感，我是念法律出身的，注重實際，只有符合科學原理的科幻小說我才讀得下去，一旦被我認為是假的，文筆再好也看不下去；但是這本書我拿起來看就放不下來，深深吸引我，它和柯南・道爾（Conan Doyle）的《失去的世界》（*The Lost World*）以及《地心探險記》（*A Journey to the Center of the Earth*）是我最喜歡的三本探險書。很巧的是本書和《地心探險記》是同一個作者，難怪我們常常在喜歡一本書之後，會去找這個作者的其他作品來看，人的寫作方式不太會變，當一個作者跟你來電時，你會喜歡他其他的作品。

本書作者朱勒・凡爾納是個十九世紀的奇葩，他原是念法律的，但是他的想像力卻非常豐富，絲毫沒有被死硬的法典教條束縛住，尤其文字流暢，描寫

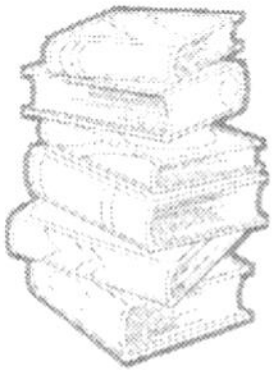

的異域栩栩如生，好像真的有這種地方似的，完全不像是整天寫條文的法律人。也因為他是念法律的，他寫出來的東西嚴謹，雖是幻想，但不是天馬行空的亂想。好的科幻小說是科學發明的前導，有了想像力才有創造力，於是想像的東西就被創造出來變成發明了。

一九五九年，諾貝爾物理獎得主理查・費曼教授在物理學會議演講時，預測科技以後可以進步到把幾十本大部頭的《大英百科全書》濃縮到針尖那麼小，一九七一年ＩＢＭ就做出了第一片晶片，到現在晶片已成為日常生活的一部分，四通八達的網際網路更是把全世界的圖書都納入眼底。才五十年，費曼的預言就實現了，但是沒有費曼的挑戰，當時並沒有人想到要做這個研究。

這就是為什麼在科學上原創性很重要，想出點子來的人很了不起，把點子做出來的人比較沒有那麼了不起，因為創新不易，萬事起頭難，改進別人的發明比較容易。

凡爾納在科幻小說中的地位一直高居不墜，最主要是他在小說中所預測的未來後來幾乎都實現了，如在《海底兩萬里》中的尼摩船長幾乎完全不必靠岸補給，他從海水中分離淡水（這點現在以色列做得很好），他捕海魚作蛋白質，用海水分離出鈉以產生能源，再用溫室種蔬菜，打造出一個人人嚮往的自給自足世界，這個世界也是科學家夢寐以求的美麗新世界。他耗鉅資打造完美潛艇，航行在海底所需的巨額經費完全是從海底幾百年來沉船中的金銀珠寶換取來的。

書中一直強調，大海是個無盡的寶藏，現在我們知道大海的確是個寶藏，取之不盡、用之不竭。現在各大石油公司都在海底探油，因為能源沒有了，所有的文明隨之幻滅，我們是多麼希望能像尼摩船長一樣能從無窮盡的海水中分離出能源來！

凡爾納書中的人物都很有個性，不多言，卻剛毅正直有能力，書中對尼摩船長的過去絕口不提，我們不知他的身世，只有在打沉海軍的軍艦後，我們看到尼摩船長對著一張少婦和孩子的相片跪下哭泣，我們猜測他的家人被士兵殺害，所以隱居在潛水艇中，從此不跟陸地的人來往，而且伺機復仇。

因為尼摩船長是個有血有肉的男子漢，他的謎樣身世就更令讀者遐想，一本書一定要留給讀者想像的空間才行。我們知道，最吸引人的是半隱半現的美人，中國人說「猶抱琵琶半遮面」就是這個意思。凡爾納書裡面的人物都有這個特性，難怪他的書不論男女都喜歡看，男的看探險，女的看謎樣英雄！

我非常鼓勵孩子做白日夢，因為沒有夢想就沒有發明，但是發明不是無中生有，就像夢想也是要有所根據一樣，凡爾納受到美國小說家愛倫坡（Edgar Allan Poe）很大的影響，凡爾納原是法國人，不會英文，但是一八五四年有人把愛倫坡的小說翻譯介紹到法國去，凡爾納大為讚賞，寫了一本熱汽球探險記，這個熱汽球後來也出現在他的小說《環遊世界八十天》（*Round the World in 80 Days*）之中（這本小說後來拍成電影，並拿到金像獎）。

作翻譯是件很辛苦的事，但是如果有人能像凡爾納一樣，因為接觸到原本不會看到的東西而發展出新的東西來，我想翻譯的人一定覺得他的辛苦是值得的了。

我們台灣現在面臨社會轉型的壓力，不能再走代工加工的路，但是我們的學生受到標準答案的殘害，非常沒有創造力，畢業的學生不符合企業界的需求，因此政府投資大量經費提升創造力；但是前面說過，創造力必須有所本，它必須先有背景知識，像凡爾納一樣，先看了愛倫坡的小說，然後還要有時間幻想，才能寫得出熱汽球故事來。現在的學生很少有時間睡覺，更不要說做白日夢，一個不會做夢的孩子人生是黑白的，很多學生抱怨他的人生只有讀書考試，是全黑，連白都沒有了。

看到想像力對創造力的重要性，我們應該儘量鼓勵學生看好書，《海底兩萬里》就是一本最好的入門書，絕對可以打破過去閱讀是枯燥無味的錯誤觀念。看到這本書在台灣又再出版，真是很高興，但願這個世代的孩子能像當年的我們一樣，在這本書中找到無窮的樂趣！（本文為《海底兩萬里》導讀）

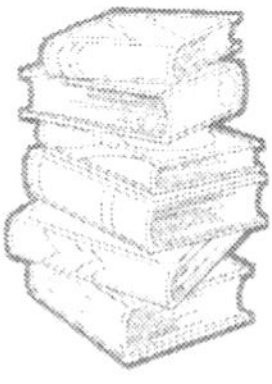

02 最高明的警世之言

我很喜歡福爾摩斯探案故事，常叫我的學生一定要看，因為做科學家的一個先決條件就是要有觀察力，而這個觀察力並不會憑空而來，它必須有經驗作後盾；但是人的壽命有限，我們不可能用有限的生命去換取外界無盡的經驗，這時，閱讀就很重要了。閱讀內化前人的經驗，使它成為自己背景知識的一部分，而這個背景知識就是我們觀察力的泉源。一個沒有背景知識的人是沒有觀察力的，即使所有的訊息都在環境裡，他也是有看沒有到。

很早以前，我還在作博士後研究員時，我有一個同學，他的觀察力非常好，我們醫學院常常舉辦研習會，邀請有名的學者前來講授醫學上最新的發現，美國因為要求開業的醫生每年必須進修若干學分才可以換新的執照，所以研討

書名：神探福爾摩斯（上下冊）
作者：亞瑟・柯南道爾
出版：閣林

會常有陌生面孔出現。我這個同學每次都搬張椅子坐在演講廳門口，有新的陌生人進來時，他就跟其他同學說：「來，來，來，我們來賭這個人是外科還是內科的醫生。」一賭金不高，只有一美元，因為外科／內科是50／50的機率，許多人認為純粹是碰運氣，便跟他賭。結果他每賭必贏，雖然一美元不多，但積少成多，對他生活不無小補。

後來他找到教職，臨行前他對我說：「外科醫生洗刷完畢便兩手抱胸，不敢接觸任何東西，怕有細菌，連開刀房的水龍頭都是用腳踩的，如果一個人走進來是用手肘推門，或用腳踢門，而不敢用手推時，這個人一定是外科醫生；內科醫生習慣了用手檢查病人，所以用手推門的是內科醫生。」因為他曾在開刀房實習過，有這個背景知識，所以他就能從醫生進門的一個普通動作，推論出他應該是內科還是外科。若是沒有背景知識，我們雖然每天眼睛也都睜開在看東西，就看不到應該看的訊息了。

《神探福爾摩斯》最好看的地方就是他的推論能力，他常常跟華生一起到命案現場探勘，但是華生什麼都沒看到，福爾摩斯卻連兇手的年齡都能推測出來，因為他看到地毯上的鞋印，他知道老人步伐蹣跚，小孩的步伐小，只有壯年人的步伐是大的，人的步伐也跟肩寬及髖骨有關係，所以一點點環境中的訊息，福爾摩斯便能推論出很多當時的情況，這是《神探福爾摩斯》值得推薦給年輕人最主要的原因。

年輕人主觀性很強，沒有了解為什麼便不肯好好做，在看了《神探福爾摩斯》後，他會了解華生與福爾摩斯都是有智慧的人，但是專業領域不同，兩人觀察出來的結論就不同。作為一個年輕人，當然應該儘量閱讀以充實自己的背景知識，使自己在社會競爭時，能看到別人沒看到的，而使自己出人頭地。

《神探福爾摩斯》還有一個很吸引人的地方就是他對人性的了解。我以前的老師一直鼓勵我們看福爾摩斯探案故事，我父親則鼓勵我看《閱微草堂筆記》，因為這兩本書中的每個故事都牽涉到人性，而讀法律、政治、醫學，任何跟人有關的領域的人都不可不知人性。

人性中最弱的一環就是「貪」——貪財、貪色。所有的不幸都是由這個字而起，有智慧的人懂得修身養性，清心寡欲，便能遠離煩惱；沒有智慧人跳脫不開財色的誘惑便陷身下去，等到來找福爾摩斯時常常已太晚，看福爾摩斯探案故事，每次都有「一失足成千古恨，再回頭已百年身」的感受，告誡自己要小心，更對古人能看脫「貪」字很是敬佩。

漢朝時，漢宣帝的太傅是疏廣，他的姪子疏受也在朝為官，是少傅，太傅是三公之一，少傅是三孤之一，官爵顯赫，但是他們都懂得知足不辱，要急流勇退，所以告病還鄉，把皇帝賜給他們的黃金財物分贈給鄰里故舊。疏廣說：「賢而多財則損其志，愚而多財則益其過。」這真是大智慧。自己雖有能力，但是祖上傳下來很多田產，沒有必要去外面打拚，一旦安於逸樂，他的志向就沒有機會表現出來；如果是愚昧的人，財一多，必然財大氣粗，為非作歹，他的缺點就更暴露出來，害的人也就更多了。

《水滸傳》中，害東京八十萬禁軍教頭林沖有家難奔有國難投，最後落草梁山泊的高俅之子高衙內就是最好的例子。所以中國人說「富不過三代」，如果沒有疏廣、疏受的智慧，子孫敗家的速度絕對快於祖先的興家。

人性真是放諸四海皆準的東西，不論古今，不論中外，只要是人，都一樣。《神探福爾摩斯》跟包公案、彭公案中的非常相似，只是文化背景不同、場景不同而已，不過包公案的敘述不像福爾摩斯這般剝繭抽絲，讓讀者清楚看到他是怎麼得出這個結論的。從這一點我們也可以看出東西文化的不同，西方文化是清清楚楚有條有理的擺在面前，一目了然，而中國文化是內涵的，要自己揣摩、體會。因此，我們看了包公案並不知道包公是怎麼看到破綻的，我們是從故事的描述中知道原委。

或許這是東西方科學進步有差異的地方，科學的東西不容揣摩，它必須明確，這也是外國人來台灣做生意很困擾的地方，因為我們不同意時常是微笑不語而不是明白表示不同意。因此，雖然謀殺案的偵探故事東西方都有，但是西方的偵探小說比較能培養學生的推理思考能力。

《神探福爾摩斯》從作者亞瑟・柯南道爾第一次創造出福爾摩斯這個人到現在已經一百年了，但是每一個新生代都跟上一代一樣，會廢寢忘食的閱讀它，它能經得起時代的考驗，歷久不衰，除了柯南道爾文筆流暢，故事吸引人之外，他的分析推理能力使讀者讚嘆，讀者從這本書中學到非常多的處世經驗與待人接物之道。最高明的罵人是不帶髒字，最高明的警世之言也是讓人學到教訓而不自知。《神探福爾摩斯》是古今中外少見的一本這種書，每個人都應該至少讀一遍！（本文為《神探福爾摩斯》導讀）

03 以作文養人格

出版社要我替《作文高手——作文滿分的八堂課》這本書寫幾個字，我很惶恐，我不是文學家，怎麼敢班門弄斧，關公面前舞大刀？但是在看完本書之後，心有戚戚焉，非常贊同作者說的若要寫好白話文，一定打好古文底子，文言文多讀，白話文才會精簡。因此冒著被教育部長罵「腦袋有問題，心理不正常」之險，還是要說「白話文要寫得好，文言文不能讀得少」。

文言文其實是個工具，它使我們能夠將古人的經驗內化成我們的智慧，古人窮一生心力寫一本書，我們把他的心得讀進來，不重蹈他的覆轍，就是站在他的肩膀上，看得比他高、比他遠了。若是不能讀文言文，許多典故都不知道，不能善用古人的經驗，一切都要自己摸索，就像西諺說的：「如果每一代都

書名：作文高手
作者：余青錦
出版：商周出版

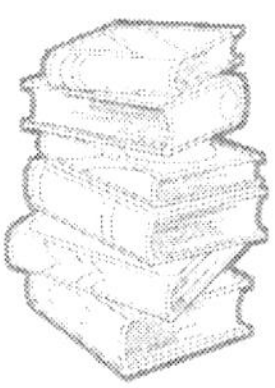

得從新發明輪子的話，人類文明就不可能進步了。」

人必須知道自己從何而來，才會知道自己該往哪去，文言文就是跟古人溝通的橋梁，怎麼能因意識形態而一筆抹殺先聖先賢的智慧？最近有許多全家燒炭自殺的新聞，黃泉路上攜兒帶女全家走向枉死城的絡繹不絕，慘不忍睹。會自殺當然是活不下去，但是遠在宋朝，蘇軾就說人應該「輕霜露而狎風雨」，使「寒暑不能為之毒」，身體必須習慣大自然的磨練，在心志上，要能「天將降大任於斯人也，必先苦其心志，勞其筋骨」，這使一個人遇到挫折時，不自怨自艾而把它當作將來成大業的試金石，有了這種智慧自然不會去自殺了。

一個人若是能從古人身上吸取教訓，他的人生不會失敗，因為太陽底下沒有新鮮事，所以我覺得本書作者的觀念很對，學作文不只是為拿高分，考上理想的大學，它是充實自己智慧、提升自己境界的一個方式。

時代的變遷使得華文變成顯學，新加坡前總理李光耀大力推華文，因為他看到二十一世紀世界貿易重心移轉到環太平洋國家，而華人幾乎佔世界人口的四分之一，所以新加坡極力推動華語教學以和中國貿易。歐美很多國家也看到中文的重要性，也都在鼓勵他們的學生學習中文。

其實快速閱讀及正確表達，本來就是二十一世紀公民必備的競爭條件，我們必須訓練我們的學生站起來能侃侃而談，坐下來能清楚地寫出自己的意思，台灣在二十一世紀才有競爭的本錢。我希望學生不要把作文當作應付考試的「無奈」，要把它當作訓練自己與別人溝通的技能，將來才會有前途。

本書作者第二個正確的觀念是必須先有寬廣的胸懷、高尚的情操，寫出來的文章才動人，即「士必先器識而後文藝」。有了器度，有了見識，寫出來的文章才言之有物，不是無病呻吟。文章一定要真誠，我們平常最討厭歌功誦德的官場文章，因為它不真，因此要寫出感人的好文章，必須腹有詩書氣才會自華，才能寫得出像文天祥正氣歌那種擲地有聲，千百年後人們讀到它仍會熱淚盈眶的文章來。像這種文章可以培養學生的人格，給學生作榜樣，哲人雖已遠，但典型在夙昔，它是「風簷展書讀，古道照顏色」。

學會作文不只是懂得精確的表達自己的意思，在這過程中，也學會了做人的道理、處世的原則。希望學生在看完這本書後能真正了解作文的重要性，給自己一個出社會競爭的利器。（原載於《作文高手》，專文推薦）

04 做孩子的伯樂

書名：不只是天才
作者：徐安廬
出版：商周出版

美國心理學會前主席，也是賓州大學講座教授的賽利格曼（Martin Seligman）教授，曾在他的新書《真實的快樂》（*Authentic Happiness*，中譯本遠流出版）中質問心理學家為什麼只注意不正常的人，而對正常人沒有興趣。的確，幾百年來，心理學家研究的是常態分佈鐘型曲線兩端偏離平均數的少數人，例如很少有心理學家研究人為什麼會快樂，卻有無數的心理學家花了一百年的時間研究人為什麼會憂鬱。

我曾在搭機時被坐在旁邊的人挑戰：他認為心理學家跟狗仔隊差不多，一樣是逐臭之夫，只喜歡研究人類的痛苦與創傷，不喜歡研究人類的聰明與善良。其實我們不是不喜歡研究曲線右端的人（表現優於平均水準），只是這種人非常少，極端聰明又能把話講清楚，並且還很風趣像諾貝爾獎得主理查·費曼這樣的人更少，因此這本書特別引起我的興趣——究竟是什麼因素使這個孩子變成文武全能的小天才：功課好、體育好，更有愛心幫助其他的小朋友。

這本書是安盧回憶他成長過程的自傳，我們看到「生命自己會找出路」，他的內在能力會推著他、迫著他去追求更高、更深、更可以滿足他好奇心與求知慾的事物。在普通的班級裡，當學習沒有挑戰性時，他會想出各種花樣來娛樂自己，這點凡是做過老師的人應該都不陌生。所以他製作過「偽鈔」，害得父母得為這件事向學校說明；但是一旦被放對了地方、處在一個有挑戰性的學習環境下，他的潛能立刻發揮出來，整天埋頭苦幹卻樂在其中。

我們看到他成功的幾個條件：一是他生長在學制有彈性、多元化的社會，可以符合他的求知需求；二是他有對好爸媽，教育觀念正確、眼光遠，並且有能力栽培孩子；三是他有成功的人格特質：鍥而不捨的毅力及吃苦耐勞的耐力；最後一點可以給很多人作榜樣，成功一定來自血汗的成果，天下沒有一步登天之事。

我看到他的老師出給他們做的題目真是非常激賞，我們一直也很想推動像

這樣主題型的研究作業，但是台灣圖書館的館藏貧乏，學生無法像安廬這樣找到所需的資料。有一位老師寫電子郵件向我抱怨，他想進修一些與兒童發展有關的認知神經方面的知識，特地搭火車從屏東北上台北來找書，結果連台大圖書館都很少有這方面的書，很失望的回去了。他的信令我很感慨，台灣人不買書、不看書，連圖書館都不藏書，我們怎麼提昇得起教育品質，又怎麼能夠使學生喜歡讀書呢？

看到這本書中安廬輕鬆愉快地去圖書館找資料，要什麼有什麼，還有電影可以讓他借回家拷貝，令我羨慕萬分。安廬居住的並非華盛頓特區有著國會圖書館，或是紐約市有著世界著名的圖書館，而是西雅圖附近的小城，區區這樣一個小城的居民，就能擁有這麼多的資源，怎麼不叫人羨慕呢？

我們看到老師給他們出的作業都是課本上抄不來的，需要到圖書館動腦筋找資料的，也看到每一項作業都需要同學齊心協力才能完成。學校很早就訓練他們團結合作，培養所謂團隊的精神，畢竟在現在的社會，光自己好是不夠的，紅花還得綠葉相襯，非得團隊都好才能做出亮麗的成績，而團隊精神是要從小就訓練培養的。

中國人說「合字難寫」，偏偏在現今的社會一定要與人合作才能成功，看到人家在中學裡就注意到未來社會的需求，替學生做好出社會的準備，而我們的學生還在抄課文、背公式，真是替台灣的未來捏一把冷汗。

本書是一個心理年齡遠比生理年齡成熟的孩子，描述他自己的成長過程：家人對他的態度、老師給他的功課，最主要是他對學習的看法、對自己能力的信心。我個人並不主張發掘天才、宣揚天才的偉大，因為看過許多聰明反被聰明誤的例子。我也一直深信每個人都有他自己的長處，只要放對位子、使他的能力能夠發展出來，他就是天才；但是作為一個心理學家，我會去看天才成長的過程，去分析他成功的原因，因為人生最重要的目標是創造機會讓自己的潛能發揮出來。他山之石可以攻錯，看看別人的國家怎麼栽培孩子，我們可以檢討一下自己的教育政策。

當憂鬱症的年齡降到十三歲時，這是個警訊，我們需要徹底檢討我們僵硬的制度和古板的教學方式。教改改了十年，孩子痛苦依舊，因為我們只改變了制度，制度內老師和父母的觀念卻沒有變。古人說「先有伯樂，而後有千里馬」，我們台灣不是沒有千里馬，只是缺乏伯樂的慧眼賞識罷了！

但願這本書能讓父母、老師們換一種角度看待我們的學生。人的優點是刻意尋找才會看到，希望每個人都能做自己孩子的伯樂，讓整個社會達到天生我才必有用的理想境界。（原載於《不只是天才》，專文推薦）

05 與二十八位作家結交

我們常說現代孩子的作文程度不好，無法正確的表達自己，但是抱怨的人多，真正著手改善這個情形的人少。正中書局的這套書就是從國、高中課本所採用的文章中挑選出二十八位作家，訪問這些學生已熟悉的人（因有熟悉才會產生親切感，才會引起學生的興趣），找出他們成功的因素，讓孩子可以效法。用訪談的方式一方面讓孩子看到成為一個作家的心路歷程，另一方面讓他們了解為什麼這些作家的文章會受到讀者的喜愛。

從書中我們可以歸納出三個成功的要點：一是廣泛閱讀、做人表裡如一、做事鍥而不捨：有閱讀寫出來的東西才有內涵，讀者才會覺得開卷有益；其二，只有真誠才能打動讀者的心，好幾位作家都說一定要心中有話要說才動筆寫

書名：漫卷詩書
作者：林芝
出版：正中書局

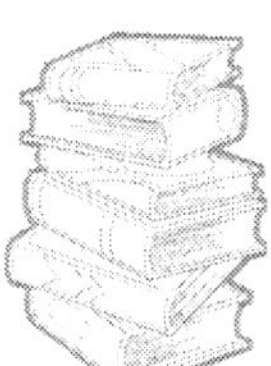

，為賦新詞強說愁的無病呻吟或許一時會暢銷，但是那不會長久，真正感人的作品必須出自肺腑，才能引起讀者的共鳴；第三就是不要氣餒，他們都經歷過退稿，但都能再接再厲的繼續寫作。

看了《漫卷詩書》這本書，我很感動的地方是這些名作家如司馬中原、張拓蕪、劉俠都不是出自中文系，台灣非常強烈的本位主義——非本科系不得報考，只有本科本系才是血統純正的門戶之見就不攻自破了，他們小時候多半有碰到好的老師，如梁實秋筆下的「徐老虎」，鼓勵他們投稿。對孩子來說，看到自己文章變成工整的印刷字體登出來真是莫大的榮耀，加上又有稿費可拿，在物質缺乏、沒有零用錢的年代，這就成為履仆履繼的動力，所以有能力還要有鼓勵。

其實，訓練孩子寫作最好的時段是青少年期這個階段，左宗棠就認為這段時期心智已開又無旁騖，是念書最好的時候。那個時候如果養成寫日記的習慣，對寫作程度的提昇非常有幫助，寫日記還有個好處，在青春期時，因為體內荷爾蒙大量的湧出，常會感到特別的苦惱，許多感覺無法向父母傾訴，如果能寫日記，那是一個絕佳的宣洩感情的方式。

嘉義縣中林鎮有一位國小老師教學生將他們寫的日記裝訂成書，上面寫著「傳家之寶」，等二、三十年後他們有了孩子時，再拿出來跟孩子一起回味自己當年在慘綠少年時的心情，然後再將他兒子的日記裝訂成冊給他孫子看，一代一代傳下去，就成了「傳家之寶」。如此一來，祖先不再是冷冰冰的牌位，而是有血有肉的人，也給孔子說的「慎終追遠」帶來新的意義。這位老師的創意真的是非常好，一方面訓練孩子的作文，一方面拉近了親子的關係。

現在政府要刪減課本中文言文的篇數，很多人都認為不妥，從本書中我們看到這些作家小時候都是讀了很多的課外書，如《三國演義》、《水滸傳》等，造就了他們對中國文詞運用的自如。王鼎鈞說他小時候家裡沒有什麼書，只有一本《三國演義》，他母親作女紅時，他就念這本書給母親聽，遇到生字，母親會停下針教他，告訴他生字是「攔路虎」，我看到這段覺得很親切，因為我母親也是說字是攔路虎，不識字就念不了書，就成不了大業。雖然現在提倡白話文，我還是認為必須多讀古書，寫出來的文章才會簡潔有力，到現在為止，好像還沒有看到哪個作家是不讀古書文章就寫得好的。

讀書變化氣質，是個潛移默化的歷程，急切不得，書讀進去了，「腹有詩書氣自華」，小時候看《閱微草堂筆記》，講到讀書人身上有股正氣，鬼魅不敢接近，甚至說這個氣可以透過茅草屋頂直衝斗牛，使我小時候很嚮往作讀書人。長大後雖知道是鄉野閒談，但是有讀書才有內涵、才有話說，卻是千真萬確之事。

這套書中每個作家都勸年輕人多讀書就是這個道理，讀了書有了背景知識，看到事情就能理解，有了理解就有感受，將這個感受真實的描寫出來就是一篇好文章。很多人喜歡看司馬中原的小說，因為他歷練多，人生經驗豐富，雖然只是「我手寫我心」，但是「透過生命湧溢的真情」，使他所描繪的人物栩栩如生，人物個性一突出，讀者的心就被抓住，不到看完就放不下了。所以幾乎所有被訪問的作家都說必須多讀書，然後把感受真誠的寫出來，不可刻意模仿他人，寫久了自然會形成自己的風格。

這些作家都談到在他們成長的過程沒有什麼書籍可讀，每個人都求知若渴，抓到書都狼吞虎嚥的讀。現在書籍的來源已比這些作家的年代容易得多，不但書店中充斥著各式各樣印刷精美的書，就連圖書館也變成開架式，可以選擇自己喜歡的書看，圖書館在台灣一直被當作做功課或溫書的地方而不是借書、讀書的地方，這是很可惜的事，一個人若能充分利用圖書館，家中再貧窮也能出頭。

寫作還有另一個好處就是可以訓練邏輯思考。文字不像對話，讀者看不見作者臉上的表情，因此，寫作必須有邏輯，讓讀者可以依著作者的思緒脈絡從而了解作者要表達的意思，這種邏輯訓練對以後出社會做事有莫大的幫助。

我們常說「打開一本書，打開一個世界」，閱讀可以增廣孩子的見聞，提昇孩子的境界，也因為如此，林良先生主張在童年時候應該讓孩子接觸美好有趣味的讀物，幫助他們形成正確的人生觀。我覺得這一點非常的重要，一個健康、正向的人生觀是父母給孩子最好的禮物，我很高興看到丘秀芷也「嚴格禁止孩子閱讀不純正的書刊和收視不良的電視節目」，如果有多一點父母把關，或少一點沒良心的出版商出版「精神污染」的書，如《完全自殺手冊》，我們社會的憂鬱症和暴力情況會好很多。

最後希望每一個父母都能像琦君的母親一樣，對孩子說：「大家不要你，我要你，考不取學校，回到家來，父母永遠愛你。」有這種父母，才會有充滿愛心的琦君，使她的作品充滿陽光。

一個好的作者，可以妙筆生花，帶給讀者無窮的樂趣，李光耀說快速吸取訊息及正確表達自己意思，是二十一世紀公民必備的競爭能力，希望這本書能幫助孩子面對他的未來，使他的未來如這二十八位作家一樣光明燦爛。（原載於《漫卷詩書》，推薦序）

06 啟發智慧，聰明學習

通常我們一想到K書就會想到彎腰駝背的孩子，戴著近視眼鏡，神情疲憊的坐在書桌前面，四周堆滿了厚厚的參考書……。說實在，我很反對K書，因為它扼殺閱讀的樂趣，但是轉念一想，我們不是都這樣走過來的嗎？如果它是必要的罪惡，我們能不能使孩子少受一些苦？於是坐下來把這本書看完，決定替它寫推薦序，因為它的確講了很多學校沒有教的K書方法。

讀書最主要是情緒和動機，心情愉快書才讀得進去，心情不好時，坐在桌子前面，半個小時書都沒有翻一頁，眼睛雖然有看字，卻是有讀沒有進，因此，這本書教學生念書之前先收心是對的。中國人說「眼觀鼻，鼻觀心」，心定下來後才能專心讀書，只有心無旁騖的念書才有效。至於動機，那更是學習的

書名：學校沒有教的K書祕訣
作者：呂宗昕
出版：時報出版

根本，一個沒有動機的人是教不會的。因此，一個好老師除了有愛心之外，還得懂得啟發孩子的好奇心。

書中講到理查・費曼的父親就是個很好的老師，他懂得把一個小孩子難以想像的東西化成生活上的例子加以說明。在學習一個新的概念時，先要從孩子熟悉的例子下手，將新的知識放進舊的、已被接受的架構中，這個新的知識就被融合成為既有知識的一部分了。所以當費曼年紀太小無法了解百科全書中所說恐龍的巨大時，他父親就叫他想像院子裡站著一隻恐龍，他的身體有兩層樓房那麼高，頭比窗戶還大，如果硬鑽進來的話，會把窗戶弄破。孩子一聽就立刻了解恐龍的大小了。這種生活即教育的教法不但使孩子產生共鳴，而且會引起孩子動機再去查新資料。費曼是物理界的大天才，事事好奇，我想多少與他父親啟蒙的方式有關。

最後，作者談到利用時間。經營時間是台灣學生最缺乏的能力，上天很公平，每個人都是二十四小時，但是利用得當，一日可做二日用。這個能力的確需要從小培養，誠如作者所說優秀是教出來的，既然我們的孩子不會K書，那麼就教吧！後知後覺總比不知不覺好。

但我最希望的是我們的學生通過Ｋ書的辛苦後，能夠達到黃昆嚴教授所說的：「以一般知識為基礎，在上面建構專業知識，然後再樹立『專業』、『科學』與『人文』三根石柱，完成學問的殿堂，達到全人的教育目的！」（原載於《學校沒有教的Ｋ書祕訣》，推薦序）

07 文明進步背後的省思

這是一本令你看了放不下的好書，我發現自己在顛簸的校車上閱讀，迫不及待的想知道結局如何，這是好久都不曾發生的事。我很佩服《逃出1840》（*Running Out of Time*）作者的想像力與創造力，完全不落窠臼。

故事一開始時，描述的是一八四〇年代美國中西部的生活，但是作者筆鋒一轉，原來像電影《楚門的世界》（*Truman's Show*）一樣，是一個專給觀光客看的虛擬實境，只是從小就生活在這裡的孩子並不知道他們是被觀賞的動物。假如你從小就只接觸到某個環境，你怎麼會疑心外面還有另外一個完全不同的環境？

女主角潔西壓根兒就沒有想到她過的日子是別人一百五十年前的日子。村

書名：逃出1840
作者：瑪格麗特・彼德森・哈迪克絲
譯者：王淑玫
出版：幼獅

裡發生了白喉瘟疫，但是沒有藥可治，潔西的母親知道在她自願住進來的一九八〇年代，白喉已經絕跡了，人類已發明了抗白喉的藥物，所以母親派她逃出這個村莊向外求援。

我們跟隨著潔西的眼睛，進入一九九〇年代，看到我們認為是理所當然的便利設施和享受，對她樣樣是新奇，她一路上看到自來水、沖水馬桶、電燈、紅綠燈、電視、收音機，我們看到潔西不知如何打電話，才驚訝這個生活不可缺的通訊必備品竟是一百年前才發明的，在這一百年內，它完全顛覆我們的生活與思想方式，現在沒有電話真的是活不下去，不信的話，只要看一下每個人，不論老少，手機不離手，無時無刻不在「延伸接觸世界」（Reach out, touch the world，這本是美國電話電報公司 AT&T 最著名的廣告）就知道了。

但是如果靜下來想一下，這些即時的接觸與溝通是必要的嗎？在這些便利的同時，它是不是也帶給我們很多隱私權的侵犯與是非的糾纏？有些事不必馬上回應，事緩則圓，自然會解決。以前的人回了家，公事就放在辦公室，不會有手機追蹤，連吃頓飯也不得安寧，頻頻起來接電話，給人如影隨身、緊迫盯人、透不過氣來的感覺。

至於電眼監控，那更是不得了。我記得小時候看「成語故事」裡面有一則王密寅夜送黃金到楊震家中，楊震不收，跟他說：「天知，神知，我知，子知，何謂無知！」又看到《三國演義》中，劉表聽從後妻之話，要廢長子劉琦，立幼子劉琮。劉琦要請諸葛亮為他設計保命，諸葛亮不肯，劉琦便在請諸葛亮上樓飲宴之時，把梯子搬走，跟他說：「上不到天，下不著地，言出君口，入於我耳。」請他幫忙，諸葛亮才肯指點他。要是在現在，梯子搬走是一點用也沒有，因為可以有監視、監聽的電子設備。

現在真的是到了「若要人不知，除非己莫為」的時代，老大哥（big brother）無所不在的監控。想想這一切也才不過一百年左右而已，真是令人讚嘆科技發明之快，也令人擔憂科技方便對人類思維、觀念的改變，科技用得不得當，人類會走向毀滅之途。

潔西逃出村落後，她的驚訝帶來我的反省，我們現在處於前所未有的物質享受之中，但是我們的精神生活卻沒有隨之豐富，潔西為了生病的姐妹和同學，可以奮不顧身的跋涉長途，向一個完全陌生的環境前進，只為了求援，我邊看邊想：我們十二歲的孩子有這種膽量與急智嗎？我們雖然知道二十一世紀對孩子的要求已經從二腳書櫃的背書機器到靈活、能學習新知識、能解決問題的現代孔明，但是我們教育的政策仍然未改，在生活上的教育還是非常的不足。

生活教育其實與品德教育是一體兩面，品德教育必須從生活教育中培養，但是我們在這方面做的真是非常不夠。事實上，從最近發生的青少年情殺、毀容案中，我們可以看到朝野趨向毀滅的風氣，「得到了不愛惜、得不到就破壞」，這是令人擔憂的情操品質，我們雖然知道社會在沉淪，只是不知道竟沉得這麼快，幾乎要沒頂了。

看了這本書，使我反思文明帶給我們的是什麼：電視佔去了親子溝通的時間，電子郵件使人際關係冷漠，針孔錄影機使人失去隱私權，冰箱、冷凍庫使人貪婪，不再量入為出，交通工具的便利更使人失去鍛鍊體魄的機會。文明節省了我們做瑣碎生計事情的時間，但是那個時間並沒有被妥善利用來增加知識、增廣見聞，當肉體享受逸樂時，心靈也就隨之流失了。

我知道要當今的孩子不講手機是辦不到的事，但是父母在付一個月一兩萬元手機費時，是否也應該教導一下節制自制的美德，請孩子言不及義的話少講一些呢？

現在台灣的出版業很蓬勃，一年出三、四萬本新書，但是適合青少年看，給青少年做楷模的書並不多，我很高興幼獅挑了這本好書出版，希望孩子們在享受閱讀的樂趣之餘，也會想到自己生長時代的幸運而知福、惜福。（原載於《逃出 1840》，導讀）

3

明教善育

01 學障兒的不凡

最近由於民意代表草率的指控，喜憨兒工作坊因訂單不足而關閉，使這些孩子頓時失去庇護和學習的場所，令人心痛。許多人對喜憨兒的學習歷程不了解，以為他們只是遲緩而已，其實他們需要把動作分解，反覆的練習。教他們的老師需要有高度的愛心與耐心，因為學習成果不是馬上看得見，老師常會沮喪失志，如果再加上不明就裡的人汙蔑「剝削」，工作坊就很難支持下去了。有一本書非常好，叫做《愛因斯坦的孩子》（*A Smile as Big as the Moon*），我覺得所有人都應該讀。

在美國密西根州有個唐氏症、過動兒、妥瑞氏症的資源班，他們大半輩子都過著邊緣人的日子，連在學校餐廳用餐都會被人欺負、嘲笑，只好把午餐端

書名：愛因斯坦的孩子
作者：Mike Kersjes & Joe Layden
譯者：齊若蘭
出版：遠流

回資源教室吃。但是碰到了兩位好老師，替他們爭取到參加太空營的機會，這兩位老師自己先去上太空營的課，再回來教這些孩子。他們團結一心，克服所有困難，在太空營比賽中拿到亞軍，凱旋而歸。

從此，這些智障兒不一樣了，他們找到自信心，找到自己生存的目的。現在他們都是社會上有用的人，每個人都有正當職業，都自食其力，最重要的是他們的努力改變了別人的觀念，為其他的學障兒打開一扇門。現在，太空營每年都有聽障、視障及學障的孩子參加了。

學習障礙並不代表他們不能學，他們只是不能用我們學習的那一套方法學而已。他們平日所碰到的挫折常使他們對學習沒有動機、沒有興趣，如果能像這兩位老師一樣，激發出他們的學習動機，他們一樣可以跟全國的精英比賽，而且拿到好成績。

紅十字會的會長陳長文先生替這本書寫了一篇非常令人感動的序，題目為「萬里之外的感謝」，因為他有一個身心障礙的孩子，特別能感受到教導這種孩子的不容易。帶這樣的孩子出門常會受到別人的白眼與嘲笑。這種辛苦也就罷了，他們最牽掛的是自己百年以後，誰去照顧沒有自立能力的孩子？陳長文先生說他希望每個掌握權力、擁有資源分配權的人，都有身心障礙的孩子或家人，他說這不是詛咒而是祝福，這樣他們才能體會弱勢者的心酸，才會好好運用自己手上的資源去幫助那些需要幫助的人。的確，只有親身體會這些困難，才不會因為自己的私心與偏見斷送孩子學習自立的機會。

我們的資訊處理歷程雖然有「從上而下」（top-down）以及「由下而上」（bottom-up）兩種歷程，但是上比下佔的比例重。所以如果你不知道要找什麼，你會找不到，偏見會蒙蔽了我們的雙眼。如果我們對學障兒童心存偏見，認為他們一無是處，他們當然什麼都學不會；但是假如我們能像這兩位老師，看到孩子的長處，對他們耐心的鼓勵，他們可以達到老師的期望，最重要的是，他們的人生從此不一樣了。

我父親常說一個人最可恥的是失志，一個失志的人再好的天賦也糟蹋了；相反的，最令人興奮就是立志，一個老師可以立志將智障兒帶成菁英班，書中的老師就做到了。這本書在教育界氣氛普遍低迷的當下，非常振奮人心，的確是一本老師家長都該讀的好書，希望我們能做到有身心障礙孩子的家庭得到照顧，沒有身心障礙孩子的家庭學會惜福。（原載於《國語日報》）

02 讓孩子的人生有顏色

看完《我在藍天下，跳舞——雲門「藍天教室」的故事》這本書，非常的感動，一九九九年九二一地震後，林懷民老師帶著雲門的舞者到災區去搶救，他們搶救的是孩子受創的心靈，我認為這是比什麼都重要的事。他們教孩子認識自己的身體，接觸自己的身體；感受自己身心的喜悅與不適狀態，然後延伸出去了解別人身心喜悅與不適狀態，產生同理心；最後，擁抱他人。

他們一方面教孩子身體各部位肌肉和關節的強化和運用，所謂身心的協調和平衡的感覺，另一方面，透過各種練習，教孩子靜下來，感受自己的意念、控制自己的動作，學習「靜中自得」。這在當時是件非常不容易的事，地震完，學生們不是極端躁動，不停的追打推擠，或是摀著耳朵大聲尖叫；就是極端

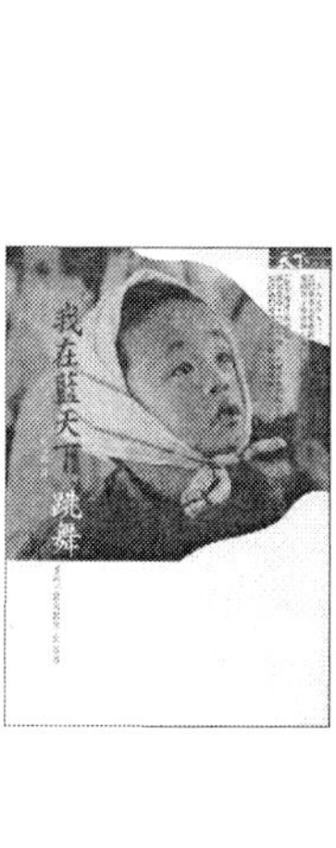

書名：我在藍天下，跳舞
作者：史玉琪
出版：天下雜誌

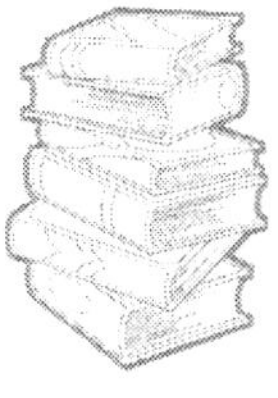

安靜，有些孩子還不會以語言表達他們的感受和抒發他們的心情，所以只是不哭、不動，失神的盯著窗外發呆，疲乏、渙散、有問不答。但是這些孩子居然願意排隊等著和老師擁抱一下，雖然抱的時候他是被動的被老師抱，但是這個「願意被抱」已經是個走向康復的開始。這本書描述的便是雲門去災區工作三年多的經驗，因為真實，所以感人。

在台灣，雖說是德、智、體、群、美五育並重，但是實際重視的只有「智」而已，大家對藝術或美育有非常大的誤解，最常聽到的一句話便是「飯都吃不飽了，哪裡還管得了那麼多！」忽略了心靈的需求大於物質的補給，都認為先要救難，不理睬什麼「肢體課程」，所以當時雲門工作者的碰壁是可以了解的；幸好他們看到了心情抒發的重要性，堅持下去，而且選擇在課後擁抱學生一下才結束。

中國人不善於表達情緒，更不善於擁抱，很多父母在孩子入學後便不曾擁抱過他們，但是真誠的擁抱是讓對方感受到你關心最好的方法。所以在雲門堅持下去後，老師看到了學生的改變，他們不再害怕跟其他同學接觸，開始期待有雲門課程的日子。在上課的那一天，他們變得比較乾淨、有禮貌。這其實是自重自愛的表現，因為有人關心你、尊重你，願意不顧骯髒，懷中摟抱，學生感受到了，所以他們變了。

這本書讓我感動的就是這種小地方，災區要的不是給他們一張紙叫他們畫「我心目中最害怕的那件事」，也不是要他們演劇，演「山神、地神、土石流神」，這些心靈治療團體每個人來都叫孩子做同樣的事，孩子們已感到疲乏、不耐煩，一直在說「拜託，別又來了」。災區要的是把他們當正常小孩看待，尊重他們，教導他們，教他們觀察：躺下來、倒過去、彎起來、扭過來，換個角度看世界，也換個角度看自己。更重要是教他們表達，教他們體會。

雲門的老師不斷地詢問學生，「除了這樣，你還可以怎麼做？」讓孩子動他的大腦思索其他的可能性。所以當一個老師教他們在組合屋教室要輕輕的說話，因為隔音設備不好時，有一個孩子恍然大悟的說：「噢，是不是像吹泡泡那堂課那樣？」於是他們靜下來了。

很多時候，孩子不了解大人的要求，因為體驗不一樣。我們中國人都把「動身體」當作理所當然的簡單事，忽略了「動」是源於能量，是心中的意念，意念和動作之間應該有個橋梁，僅是命令「不准動」是無效的，因為假如他的心想動，這個動的能量就會像地底下的熱氣在不停的尋找出口，一得機會，便火山爆發，不可收拾。

過去，我們都用外在命令的方式來控制教室秩序，所以老師花了很多寶貴的教學時間在控制和維持教室秩序上，如果能讓孩子了解「動」是什麼，他就了解到身體可以是棵大樹，不動如山，也可以是隻奔鹿，將自己的情緒發洩出來。

藍天教室的課教的是生活律動，當身體舒暢時，心情會輕鬆。韻律的節奏是演化來壓抑大腦中杏仁核的活化，它可排解杏仁核活化所送出的負面情緒，所以運動對心情有幫助，因為打球是韻律的節奏，球隊是團隊，那是人的接觸，人永遠是最好的療傷聖藥。最主要是感官刺激開啟了孩子心靈的美感，這個美感讓他的人生有顏色。

美育是制式教育中最不受重視、最容易被排擠掉的課，因為它無法立竿見影，沒有具體的驗收目標，不符合我們短視的教育政策；但是我個人認為這部分的教育比智育更重要，因為對美的感受和體驗是一輩子受用不盡的，它是潛移默化，補習班補不來的。小時候的美育會在長大成人後，從談吐中、待人接物中、生活中不知不覺顯露出來，它其實就是我們品味的來源。

或許透過雲門的努力，再過十年、二十年，我們能擺脫低俗的社會風氣。現在他們播的種子已經散發出去，在很多看不見的角落，已經有人體認到美育的重要性，開始教孩子用美的觀點去體驗世界了。看完這本書，讓我覺得很高興，有這麼多的人默默在做，台灣的生命力的確在民間。（原載於《我在藍天下，跳舞》，推薦序）

03 留給孩子成長的空間

《艾蜜莉，點蠟燭：腦科學啟動A^+寶寶》（*A Good Start in Life*）是一本非常好的嬰兒發展科普書，作者是小兒科醫生，也是一位神經科學家，所以這本書比較偏向大腦的發展，跟坊間其他育兒書很不一樣。它從胎兒在母親肚子裡談起，一直到兩歲，把一般非醫學人士講不清楚的大腦這個「黑盒子」的發展過程解釋得非常清楚，破解了許多迷思，例如聽音樂並不能使孩子比較聰明等等，對父母親的幫助很大。最後一部分則是從三到六歲幼兒的發展，因為過了六歲要進小學，就進入另外一個階段了。所以這本書是想了解胎兒、嬰兒、幼兒各個發展階段的人最好的一本參考書。

人的發展真是很奇妙，各個部位有各個部位的功能，雖然外表看起來一樣

書名：艾蜜莉，點蠟燭
作者：Elinore Chapman Herschkowitz
& Nobert Herschkowitz
譯者：呂素美
出版：信誼基金

，實際的功能仍然有差別。多年前，印尼有位無耳道的孩子來到台灣動手術，台大醫院的醫生從他大腿取下一塊皮膚替他做了一個人工耳道，本來皮膚都是皮膚，應該沒有差別，但是我們天生的耳道會把耳垢往外推，使它掉出來，而大腿皮膚做的耳道就沒有這個功能，要用人工清除耳垢。這一點點位置上的差異，就有這麼大功能上的差別，真是令人讚嘆造物者的神奇。

書中談到許多養育孩子的方法，我都覺得非常好。其實我們可以影響孩子的時間很短，就是在他小學畢業前的那十二年，等他小學畢業，從八月到九月就不一樣了，因為八月還是小學生，九月開學，穿上國中生的制服就是國中生了，八月他會和你手牽手過馬路，九月就不會了；等到上了高中，就是你走前面、他走你後面，假裝跟你沒關係了。父母如何掌握這珍貴的十二年，把自己的價值觀、人生觀教給他，把他的人品培養好，讓他有紀律和毅力，真是一件不容易的事。

有個廣告詞說我是做了爸爸才知道怎麼做爸爸，這其實是不對的，人生固然很多事是摸著石頭過河，邊做邊學，但是有些事不可以，因為時光不能倒流。很不幸人的童年只有一次，等到發現方法不對時，已經來不及了。所以做父母之前，必須先有孩子成長歷程的知識。尤其是老大身上累積來的經驗並不能夠完全適用到老二身上，因為雖是同胞手足，每個人還是不同。這就是為什麼父母親一定要了解自己孩子心理生理發展的過程，而不能一味的用坊間的育兒書硬套到自己孩子身上。

在台灣，我們擔心的不是嬰兒沒有足夠的刺激，而是害怕刺激太多。父母常常把握不住自己，被廣告所蠱惑，買一大堆「益智」玩具，放一大堆莫札特音樂，讓孩子沒有一分鐘空白，全部暴露在聲光的轟炸之下。很多父母都知道過猶不及是不好，只是不知道如何拿捏，這本書最大的好處就是告訴父母如何拿捏這個分寸，適度的留給孩子成長的空間。在這本書中，我們看到「知識就是力量」這句名言的意義，它幫助你對抗業者的「潛能開發」廣告，也使你不因隔壁人家上了才藝班你沒上而擔心輸在起跑點上，因為人生根本不是百米衝刺，它是馬拉松，沒有輸在起跑點這回事。

了解人類心智發展的過程，根據自己孩子的特性，呵護他健康成長。理想的父母應該是好的園丁，提供孩子肥沃的土壤，足夠的陽光與水，放手讓他自己長大。（原載於《艾蜜莉，點蠟燭》，推薦序）

04 每個孩子都不一樣

這是一本難得一見的好書，完全沒有坊間「育兒須知」的制式和呆板，本來我是最怕看媽媽經的人，但是《兩個孩子兩片天》這本書卻讓我拿起來就放不下去，甚至在應酬時都覺得菜這麼難吃，不如回家去看書。兩位作者我都不認得，但是我覺得她們應是天底下最了解孩子的媽媽：有多少母親會在下雨天，穿上雨衣，戴上雨帽，再把孩子放進娃娃車，扣緊透明的擋雨蓬，勇敢的向紐約中央公園的池塘出發，只因為孩子要看「雨的家」在哪裡呢？光憑這一點，韓秀就在我的「好媽媽量表」上佔鰲頭了。

我常覺得扼殺孩子創造力的不是別人，正是愛他最深的父母，我們常用「為了你好」這個理由，不准孩子做這個，摸那個，限制了他所有的想像力，等

書名：兩個孩子兩片天
作者：張讓＆韓秀
出版：大田

他變得像木頭人叫一下動一下時，再來怪孩子怎麼這麼不會應變。

我清楚記得民國四十八年葛洛禮颱風來時，台北淹大水，池塘的魚都游上馬路，我和妹妹興奮的拿著撈麵的勺子抓魚，但是更清楚的記得我母親用消毒藥水及刷子用力刷我們泡過水的皮膚。在台北街頭撈魚的經驗成了我童年唯一快樂的回憶，水髒一點又有什麼關係呢?帶孩子就應該像張讓和韓秀兩位媽媽一樣，先了解孩子在想什麼，在非大逆不道的範圍內，跟他一起完成夢想。假如你能這樣帶孩子，你的孩子自然會跟你無話不說，你也就不奇怪為什麼他們的孩子每天都跟母親有說不完的話了。

我想這一點是台灣的父母最羨慕的地方，台灣的孩子常跟父母隔著一道看不見的牆，做父母的常常板起面孔當長輩，忘記自己是孩子時多麼渴望父母的了解。這兩個孩子真是非常幸運，生在美國卻有個開通的中國媽媽，他們得到了中西文化的精華，難怪這兩個孩子如此傑出。

這本書是兩個孩子成長的過程，透過兩位媽媽的來往書信，讓我們分享了他們生活上喜怒哀樂的點點滴滴。兩位媽媽的文筆都非常好，使我們彷彿像隱形人一樣住進他們家，觀察他們的一舉一動，了解他們的心聲。這本書可以讓很多台灣的父母放心，不必在意別人怎麼想，反正每個孩子都不一樣，不必比較，只要在意自己的孩子快不快樂就夠了。天下沒有放諸四海皆準的育兒法則，若是孩子每天快樂的學習，親密的依戀著你，你就做對了。

天下再好的安親班和補習班，都比不上母親帶著孩子親子共讀時對孩子心智的啟發。如果你希望你的孩子像安捷和友箏一樣的話，你也必須像韓秀和張讓一樣，陪著孩子成長，信任他但不放任他。（原載於《兩個孩子兩片天》，推薦序）

05 了解你的青少年孩子

我第一次知道《青少年的腦袋裝什麼？》（*The Primal Teen*）這本書，是我在密西根大學的妹妹打電話告訴我的，她有兩個青春期的孩子，每天為了他們焦頭爛額，所以她看完這本書覺得很受用，便用航空把這本書寄給我，要我出去演講時，把這些新觀念告訴父母。

想不到我接到這本書的第二天，便收到久周出版社這本書的中譯稿，真是驚訝台灣人做事步調之快，也更覺得現代人沒有理由不讀書，因為台灣翻譯外文書的速度奇快，全世界沒有哪個國家比得上。有些書，甚至是跟國外同步出版，真是做到了英文有什麼書、中文就有什麼書的地步。現代的讀者真幸福，也更沒有理由不去增加自己的新知。

書名：青少年的腦袋裝什麼
作者：Barbara Strauch
譯者：簡世華
出版：久周

這本書淺顯易讀，因為作者是美國《紐約時報》（*New York Times*）的科技記者，她用寫新聞稿的方式將腦科學中一些拗口名詞轉換成大家易懂的解釋，使得即使沒有念過神經科學的人也能一路讀下去，不覺費力。作者所收集的資料可說是非常現代（up-to-date），都是最新的知識，讀者可以放心，那些論文正是我們在課堂上指定學生讀的期刊論文，而非像幾年前台灣流行的《腦內革命》那般沒有科學上的證據。

書中提到的研究者，都是美國頗有名望的科學家，例如伊莉莎白・貝茲（Elizabeth Bates, 1947-2003）教授，她來過台灣五次，是我們實驗室十幾年來的合作伙伴，可惜因胰臟癌英年早逝，令人惋惜。讀到書中引用貝茲教授的話仍令我非常難過，更加深我對貝茲的懷念。精神醫學之父克里卜林（Emil Kraepelin）的墓碑上刻著「雖然他的名字會被遺忘，他的研究會流傳下去。（Though his name will be forgotten, his work will live on.）」在這本書裡，我看到好的、有意義的研究的確會流傳下去，不因作者的消逝而消失。這也是學者不應從政的理由，因為政治是人在政在，人去政息。一個短暫，一個雋永，不可相提並論。

這本書最重要的地方是讓父母看到，青少年的許多奇異行為，其實是大腦荷爾蒙大量湧出的影響，因此對孩子不要用批評方式，而要用誘導方式，當見面就吵架時，家長的意見他根本聽不進去，沒有聽見就不會改進，它就埋下下一次爭吵的導火線。所以書中告訴父母青少年大腦變化的情形，能了解才會諒解，進而才有包容；但是包容不代表放縱，作者說父母可以要求青少年，父母要給規範，父母有責任教導未成年的孩子，孩子也寧可有訂得清清楚楚的規範，使他不會動輒得咎，覺得父母喜怒無常；但是規範不可死板、標準過高，就好像明明是四線大道，主管部門卻將速限訂在五十公里，入人於罪。

很多青少年都是夜貓子，晚上不睡，早上爬不起來，本書告訴你這是由於他們大腦中「褪黑激素」分泌的時間晚了，所以感到睏的時間也跟著晚了，美國目前有十八州、三百一十多個學區已把上學的時間延後一個小時，就是因為科學上研究已確切的指出睡眠不足會影響成績，既然它會引致情緒暴躁、學習不佳、頂撞師長、與同學打架，那麼何不把上學時間延後，讓孩子睡飽了才上學呢？美國人的作風我們中國人看了常搖頭，覺得怎麼可以如此？但是我是舉雙手贊成，學習與情緒、動機有很大的關係，我們在意的是學習的效果，不是約定俗成的上學時間。任何事如果能配合生理狀態就會事半功倍，這也是這本書為什麼這麼重要的原因。

了解孩子大腦發育的情形，便了解我們該如何配合生理來設計教案、教導孩子，這才是「順天應人」的做法。既然新奇是吸引孩子注意力最有效的方式，上課便不可炒冷飯，作業更不可只抄抄課本了事。上課引發了孩子的動機之後，回家孩子自然會把這個概念弄清楚，很多不懂日文的孩子都能夠為了看懂電玩上的日語提示語而自修會日文，從這裡我們就知道沒有不可學的孩子，但看他有沒有動機罷了。

青少年自我肯定脆弱，所以用先褒後貶的態度成效高，也讓孩子逐漸從別人的褒揚中建立他自己的信心，有自信的孩子不會隨波逐流，人云亦云。最重要的是父母不是孩子的提款機，也不是他的朋友，父母是孩子的榜樣，是監督他、保護他的人。孩子如果對父母尊敬就不會有頂撞、甩門的事。要做到讓孩子尊敬，父母必須表裡一致，以身作則。

這本書是父母、師長必讀的書，當我們知道行為發生的原因時，就能以寬容的眼光來看待，畢竟大腦前額葉未成熟不是青少年的錯，我們自己當年也是這樣一路走過來的！（原載於《青少年的腦袋裝什麼》，推薦序）

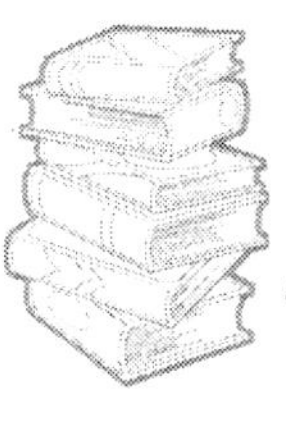

06 父母是孩子的第一個榜樣

模仿是最原始的學習，家庭是最早的學習場所，所以家庭教育的重要性不需多言。歐美國家都非常重視幼兒教育，丹麥、瑞典甚至明文規定ＧＤＰ的百分之二用在幼兒教育上，因為健全人格的成長關鍵期在童年，父母的身教是孩子學習待人接物處世法則的第一個榜樣。

湯姆・布洛考（Tom Brokaw）是美國有名的新聞工作者，他主播美國國家廣播公司（NBC）的晚間新聞三十年，在美國享有崇高的地位與公信力，但是他卻非常的謙和，有人問他如何做到不驕傲不誇大（pomposity），他回答：「很簡單，因為我的母親不會允許我這樣做。（My mother wouldn't allow it.）」他的家庭教育給了他誠實不浮誇的做人處世原則，而這正是新聞記者必要的人格特質，

書名：家庭教育—贏的起點
作者：何琦瑜主編
出版：天下雜誌

我們可以說，他母親的身教使他成功。

人格的培養是個潛移默化的歷程，是日常生活中一點一滴累積的成果，我們可以請別人幫忙做家事，卻不能把孩子交給別人帶，因為別人沒有在孩子錯誤行為一出現時立刻糾正他的權利與義務，而從動物研究上知道，一個行為一旦形成壞習慣便很難戒掉。俄國巴夫洛夫（Ivan Petrovich Pavlov, 1849-1936）的古典制約實驗顯示：一個行為即使「消除」（extinct）了，還會三不五時「自然回復」（spontaneous recovery），只是強度沒有以前那麼大而已。

所以歐美各國都知道寧可把錢用在幼兒教育上，不要用到行為矯正上，因此它們給予父母親很長的育嬰假和各種育兒幫助，如果母親出外做事賺的錢與請保母的不相上下，那麼由政府津貼，讓母親在家中自己帶孩子。這種措施真是有遠見，因為一個中輟生的社會成本是一百三十萬到二百五十萬美元（美國凡德畢爾大學的報告），再富足的國家都不能負擔這種社會成本，我們台灣也曾花了一千萬元找回八個中輟生，這遠比他們小時候多提供課後輔導等教育資源來得多很多倍。所以如何維持善良社會風氣，促使家庭功能健全，是任何一個政府如果想提昇國民經濟水準，在國際上跟人一爭長短必須做的事。

芬蘭、愛爾蘭、冰島是沒有什麼自然資源的小國，但是他們的政府在二十年前大量投資教育，尤其芬蘭更把國民所得的百分之一．三投入幼兒教育，不但有十一個月的育嬰補助，還由政府提供家事服務使母親可以專心帶孩子。在全球失業率嚴重的今天，芬蘭幾乎沒有失業率，這難道不是我們的楷模嗎？

這期《天下雜誌教育特刊》的重點定在家庭教育上真是非常的對，父母給孩子最好的禮物便是兩人相親相愛，製造一個溫暖的家庭，讓孩子快樂長大。每個人身上都有他父母的影子，我們要把握孩子小時候可塑性最強時，將正確的價值觀傳給他。

從演化上來說，親代的成功不是成功，只有子代的成功才是成功，青雖出於藍，它必須更勝於藍才是具有演化意義的成功。如何給父母一些正確的指引，是《家庭教育─贏的起點》這本書最大的目的，在今天為人父母者不可不讀。（原載於《家庭教育─贏的起點》，推薦序）

07 跟笛卡爾一起看人類的心智發展

《笛卡爾的 Baby》（*Descartes' Baby*）這本書，是從大哲學家笛卡爾的觀點去看一個人：如何從剛生下來什麼都不懂、一張白紙似的嬰兒，發展出什麼都有自己主張的大人。這個主張怎麼形成的呢？孩子怎麼看待受到物理定律支配的真實世界，以及看起來好像不受物理定律支配的心靈世界？這是一個非常有趣的問題。

很少人同時從哲學及實驗的觀點來看兒童心靈的成長。我們很驚訝作者六歲的兒子就已經知道「你可以強迫我去房間，可是你不能強迫我睡覺。因為因為睡不睡覺決定在我的腦！」外表的形體可以被你支配（難怪所有的小孩子都恨不得趕快長大，長到跟爸媽一樣大，父母就無法支配他了），但是內心的自由意志卻

書名：笛卡爾的 Baby
作者：Paul Bloom
譯者：顧淑馨
出版：天下雜誌

是我個人的事，你無法強迫。孩子知道表面順從不見得代表內心順從，這兩個世界可以分開。

這裡面最有趣的，當然就是兒童怎麼發展出是非善惡的道德觀。有個實驗者把一隻消毒過的蟑螂丟到一瓶牛奶中，這瓶牛奶就沒有人敢喝了；把巧克力做成狗屎狀，即使是孩子親手把它捏成狗屎狀，他也不敢吃。如果同樣材料做成其他的形狀，則大家搶著往嘴裡塞。

不過這個情形在長大後，理智會勝過感情，選擇會不一樣。有個實驗把昂貴的巧克力做成蟑螂形狀，便宜的巧克力做成甜心形狀，請大學生判斷他們會買哪一個。絕大多數的大學生說他們會選擇甜心巧克力，但是真正給學生錢去買時，他就選擇蟑螂。因為penny to penny，蟑螂比較划得來，它是高級巧克力做的。所以道德觀的領域怎麼發展來的，真是一個很有趣的問題，也是發展心理學一直吸引很多頂尖的學者投入的主要原因。

最近因為腦造影技術的精進，我們逐漸看到大腦成熟跟外表行為改變的關係。有個實驗掃描五到七歲男女兒童在看一張噁心圖時，大腦活化的地區，結果發現大腦皮質下杏仁核的地方活化起來了，因為杏仁核是個演化上很古老的腦，被稱作爬蟲類腦，是生物演化時代爬蟲類就已發展出來的大腦部分，專司戰或逃等恐懼情緒的地方。所以五到七歲的孩子對自己的情緒無法用言語表達，只會用哭泣來表達憎惡、恐懼等不滿。

但是當孩子成長到十七歲時，情況就不一樣了。給十七歲的女孩看厭惡的圖片時，她的前腦皮質會活化起來，前腦皮質有語言的功能，所以十七歲的女生可以把她為什麼心情不好說得頭頭是道；十七歲的男生就沒辦法，因為核磁共振的大腦掃描片子看到男生的厭惡反應仍在杏仁核處理，而杏仁核是沒有語言能力的。男生心情不好時會把自己關在房內生悶氣，不會像女孩一樣找手帕交訴苦。

這本書從哲學的觀點來討論人類的心智發展，涵蓋所有領域，連生死都納入了，是一本難得的書。老師們在教學上如果能了解孩子觀念如何形成，則教案設計會更有利，孩子的學習也更能事半功倍。（原載於《笛卡爾的 Baby》，推薦序）

08 孩子的健康快樂是教育的目標

教改改了很多年，喊了更多年，但是學生的負擔好像不減反增，因此當別人有成功案例時，我的眼睛立刻一亮，希望他山之石，可以攻錯。《創意教出優秀生》（*Schule kann gelingen!*）這本書的作者是一位德國辦學很成功的校長，她的成功不是在升學率，而是在她的學生畢業後長長久久會想到她。退休以後，她把十九年來的改革經驗寫出來，供別人參考。我看了以後覺得這本書應該推薦給所有有心要把台灣教育改得更好的人看，因為她看到學習的盲點，她有勇氣把課程整個改革，她肯花時間與老師和家長溝通，所以最後她成功了。

我們都知道，學習最重要的是情緒和動機，要在孩子想學時教他才有用，當他不想學時，再好的名師都是事倍功半，甚至徒勞無功。這位校長每學期舉

書名：創意教出優秀生
作者：Enja Riegel
譯者：羅慕謙
出版：高寶集團

辦一次主題教學，在學期開始時，學生先把們想知道的問題貼在教室的牆上，老師彙集後，依學生的問題準備教材，因此在主題教學中所教的東西是孩子對該主題的問題，因為這是學生想知道的，他們學起來會特別興趣，有興趣的東西學了不易忘，而且學生自己會舉一反三，延伸到別的相關主題，學生覺得有學到東西便喜歡上學。在別的孩子視上學為畏途時，這所學校能夠與眾不同，便一舉成名了。

但是做一個改革者並沒有那麼容易，因為不論中外，傳統是個很難打破的東西，在她第一天上任，全校教職員穿黑色的葬禮衣服來歡迎她，表示對她的不支持，希望她知難而退；但是當她撐過頭幾個月，員工有時間進一步了解她的理念後，學校就開始接受她；到她退休時，當年那些穿黑衣服的人給她舉辦盛大惜別晚會，讓她感動不已。

在這裡，我們看到在中國說的「天時、地利、人和」成功的三個必要條件中，人和最重要。再好的理念，不能跟別人溝通也是枉然。溝通的確非常重要，所以這位校長也在學校中訓練她的學生表達自己。

看這本書的時候，我最感覺到的是她很敢去做，只要對她學生好的，她就

敢去做。我們台灣最常到這種情形：某事該做，但是真的走時，阻力太大，於是就迂迴的走，邊走邊妥協，走到後來，失去了原始的目標。但是如果覺得該做，把目標高高掛起來，朝著目標一直努力，總有一天做成。但願我們台灣也能有像這樣的勇士校長，不在乎別人說「圖利他人」（這是一把非常厲害的尚方寶劍，綁著我們的公務人員動彈不得）而要想著「圖利學生」勇往直前。他們的「尼泊爾計畫」讓我很感動，今天台灣要推生命教育，應該就是讓學生實際到校外服務，從幫助別人開始。

最後，這位校長有勇氣介入他認為應該介入的事，他的目標是保護學生，只要為學生好，他可以跟父母正面衝突，他認為這是作校長的義務（見〈家人和學校之間的競爭〉一章）。台灣最近一直發生受虐兒事件，最早發現報警的其實是老師，如果我們能在社會上建立起共識，家長願意接受學校的介入，學校也認為這是教育者的義務（我們保護的是沒有自衛能力的學生），那麼台灣的悲劇可以少發生一點，書中的例子（父有外遇，母冷戰，鬧離婚）在台灣應該是不時上演的戲碼，看到書中孩子的可憐，真對校長挺身而出勸導父母為孩子著想的義舉覺得了不起。

令我感動的是校長說：「父母把孩子送來學校，就是把孩子托付給學校，學校一定盡力不使父母失望，同時學校也把這份托付視為一種敦促，敦促我們現在開始介入維護孩子的利益，如果有必要，也要和你們對抗。」校長的道德勇氣真是了不起。看完這本書，真的覺得歡欣鼓舞，因為世界上還有這種肯為孩子奉獻一生的好老師、好校長。

書中的情境或許我們做不到，但是這位校長的精神我們一定可以效法。當每個人都認同「孩子的健康快樂是我們教育的目標」時，我們的教改一定會成功。（原載於《創意教出優秀生》，推薦序）

09 放手讓孩子走不一樣的路

剛讀《媽媽，用心去做就好》這本書時，頗不以為然：如果三個孩子都考上首爾大學就算成功的話，台灣成功的媽媽太多了！但是讀下去後，我承認作者是成功的，因為她的三個孩子每個人都能適性發展，去做他最想要做的事，不補習，不一窩蜂的趕時髦，而且兄友弟恭，對父母孝順，勤勞節儉，成功了也不驕傲，這個做母親的真的可謂成功了。尤其她帶孩子的方式在現在的社會可以說是一盞明燈，給一些不想隨波逐流，但又沒有勇氣對抗潮流的父母一個信心。

每個孩子不一樣，同一父母所生，作者的老大、老二、老三個性都不同，我們怎麼能拿自己的孩子去跟別人比，把別人的模式硬套在自己身上？作者很

書名：媽媽，用心去做就好
作者：朴蕙蘭
譯者：林曉君
出版：張老師

正確地看到人生不能什麼都擁有，必須列出優先順序，決定輕重緩急，家是為人而存在的，人不是為家而存在的，所以不要花太多時間和精力在清潔打掃上，她把打掃房子的時間拿來陪孩子玩，她要為孩子活，不為乾淨的家庭活，她跟孩子玩槍戰，倒地裝死，一開始，老二還會說「不要被媽媽騙」之類的話，後來看她真的倒地不起，三個孩子急得嚎啕大哭，赤子之心，真是很感動。

我們和孩子嬉戲的時間很短，一般來說，十歲以後孩子就不再跟父母玩，但是童年和母親一起在地上翻滾的記憶，卻是後來母子親密關係的基礎。孩子比較重要，家髒亂一點又有什麼關係呢？很佩服作者的勇氣，她的婆婆每次來，每次諷刺的說：「你們要搬家嗎？」她能坦然接受公婆的責難而不屈服，是不容易的。也因為作者自信心很足，所以她可以在別人送幼稚園的孩子去學字母時，讓她的孩子在家裡玩，因為「入學前學會了字母，上課就無趣，孩子就會討厭學校生活」，這當然是對的，但不知台灣有多少父母可以抵抗「不要輸在起跑點上」這句錯誤的廣告詞所引發的潮流？

作者一開始時，信心動搖，也曾教孩子字母，但她的老大開竅開得慢，老大字母還沒教會，老二在旁已學會了，獨自大聲朗讀報紙新聞。她才恍然大悟，孩子對有興趣的自然會學習，如果強迫硬逼去滿足大人面子只會得到反效果。果然上課時，只有她的老大目不轉睛地盯著黑板，不但學會了所有字母，還因為上學可以學到新的東西，很喜歡上學。

看到這一段真是很感慨，有多少台灣的孩子該玩的時候沒有玩到，在補習班學開學後老師要教的東西，開學後，百般無聊的坐在教室中聽老師重複自己已經會的東西。如果上學都是炒冷飯，我們能怪孩子在課堂上東張西望、注意力遊離、好動嗎？能怪他們不喜歡上學嗎？孩子該玩的沒玩到，反而喪失學習的興趣，真是得不償失。太早教小孩可能是種傷害，比人家起步早並沒有什麼了不起，人生是馬拉松，不是百米衝刺，沒有輸在起跑點上這句話，堅持到底才是最重要的，父母不可盲從。

作者回學校念書後，洗完碗筷便坐到書桌前，這時原本在看電視的孩子就會拉張椅子坐在她身邊，大家一起看書。我想這個身教才是她真正成功的地方，孩子最不喜歡聽的便是媽媽說「快去念書」，越是碎碎念，越是不想念，但是假如是自己想念的話，感受就不一樣了。所以她的老大上國一後，會害羞的向母親告白「媽媽，上了國中後，念書變得有趣了」。

開竅早晚並沒有關係，有關係的是動機。在這本書中，我們看到一位開明的母親雖然也是摸著石頭過河，也會犯錯，但是只要親子關係融洽，給孩子成長的空間，即使沒有補習，三個孩子都考上理想大學，走上人生的康莊大道。最重要的跟父母都很親，母親生病會煮稀飯來服侍。這本書可以讓很多台灣的父母勇敢地放手讓孩子走出跟別人不一樣的路來。（原載於《媽媽，用心去做就好》，推薦序）

10 優秀是可以教的！

書名：優秀是教出來的
作者：Ron Clark
譯者：諶悠文
出版：雅言

如果你問路人「優秀是教出來的嗎？」相信很多人會遲疑一下，不確定該如何回答，但是假如你看過雅言出版社翻譯的這本《優秀是教出來的》（*The Essential 55*），你會同意作者的話：禮貌是可以教的，風度是可以培養的，人品是可以訓練的。一個好的老師可以教出一批優秀的學生來，不過他要很努力，而且後面還要有校長和家長的支持才行。

這是一本老師和父母都該看的書，它的英文書名直譯為「重要的55個教條」，這是他歷年來教學的心得。誠如他所說，孩子並不怕管，但是規則要清楚，賞罰要公平，假如好學生犯了錯，需要受到留校一小時的處罰，即使家長、校長都來求情，老師仍然必須執行，因為令出必行是老師建立誠信的第一個原則。

春秋戰國時，孫子替吳王練女兵，那些宮娥出操個個掩口而笑，不聽從指令，孫子告誡不服從命令者斬，宮娥仍然嬉笑不當一回事，孫子便將隊長——吳王最寵愛的嬪妃——推出斬首，從此紀律嚴明，說一不二，練成一支女兵。因此，老師必須在學生心目中建立誠信，班級才帶得動。

但是這個老師絕非嚴厲不講人情的酷吏，帶學生有如帶兵，只有帶心才有用，所以他雖然是男生，半夜回家仍然烘蛋糕、做小餅乾帶來學校作為獎勵的獎品，他常常帶守規矩、有進步的學生去看電影、籃球賽，更帶全班到戶外教學，增廣學生的見聞。一個讓孩子愛戴擁護的老師自然在班級經營上如魚得水，遊刃有餘；但是他也說，老師上課是作秀，必須使出渾身解數來抓住孩子的注意力，他是傳道授業的老師，噓寒問暖的父母，審判告狀的法官，抹紅藥水貼膠布的護士，管教行為的警察，帶孩子去參加比賽的司機，最重要的是，他是孩子心靈的守護者與啟發者。

當另一個老師說「我一眼就分得出來今年新生中哪些是被你教過的」時，他就成功了。這就是我們每個老師夢寐以求的最大成就：孩子經過我的手，出來後脫胎換骨從此不一樣。

看完這本書，你可以大聲說：「優秀是可以教的！」你更要身體力行，使你的孩子變得更優秀。（原載於《聯合報》讀書人版）

11 正視男孩女孩大腦差異：從養育到教育

書名：養男育女調不同
作者：Leonard Sax
譯者：洪蘭
出版：遠流

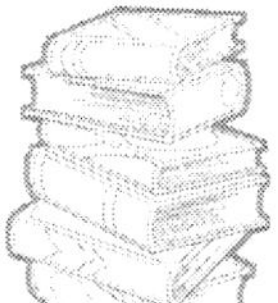

我生長在一個重男輕女的時代，我的母親因為生了我們六個姐妹，不得祖母的歡心，我的父親也因沒有聽從祖母的話，把我們送出去做養女而不得祖母的諒解。所以我們小時候最常聽到的一句話就是：「考不上北一女不要念，考不上台大不要念。」只有考上公立學校，祖母才會勉強讓我們念。所以我們小時候都很希望自己是男生，男生會做的事，我們一定可以做，父母也把我們當男生栽培，再辛苦都讓我們念書，使我們將來比男生有出息。母親更要求我們每個人都要拿到博士，有一技之長，自己會賺錢，不必看人臉色。

因為家中都是女生，念的又是女校，平常很少有機會接觸到男生，所以一直到上大學，我都不覺得男女有什麼不同。尤其在課業上，女生的成績一向比男生好，每學期班上拿書卷獎的都是女生，所以總是覺得女生和男生沒差別，如果有差別一定是別人的偏見。我們被訓練得對男女性別議題很敏感，處心積慮要證明兩者是一樣的。

這個迷思一直到我出國留學，經驗、見聞多了，才感到男生女生的確有不同。在國外我常迷路，因為對方向沒概念，我發現我雖然一樣會看地圖，但是如果我要往北，我的地圖一定要朝北，如果地圖朝南，我要花很長時間才能把它在腦海中轉過來。到我兒子十歲時，有一天開車在找路，我發現他看地圖的能力已經超越我了，坐在那裡拿著地圖指揮著我左轉或右轉，我才第一次相信或許在某些能力上，男女是有先天大腦上的不同。

有了這種感覺後，我開始注意男女在各種能力上的不同，就發現女生指路都用地標和顏色：看到麥當勞左轉，看到右邊白色的教堂右轉，過去第三家紅色的房子再右轉……，但是男生都是說：中正路向東走兩公里……，因此，我學會了問路時只問女生，因為問男生沒有用，我搞不清楚東在哪裡。

這些因性別而有差異的困惑我在心中放了很久，雖然坊間陸續有一些關於男女性別差異的書出版，但是對我來說，沒有實驗證據的書是「閒書」，不可當真。一直到一九九九年我看到一本從大腦科學方面談男女性別差異的書出版，立刻把它翻譯成中文，就是《腦內乾坤》（*Brain Sex*，中譯本遠流出版）這本書，它的副標題是「男女有別，其來有自」，男女在各種能力上的差別是先天大腦設定的。有科學證據的書果然不一樣，這本科普書賣得很好，這在一般人不肯買書的台灣很少有的，顯現這方面知識是很多人的需求。

然而科學一直在進步，很多新知識不斷的湧出來，腦科學更是進步最快的領域，透過腦造影技術的精進，這十多年來我們對大腦在性別上的知識又累積了很多，所以覺得應該再介紹更新的觀念。尤其國外非常注重大腦知識在教育上的應用，布希總統一上任就宣布「這是腦的十年」（It's the decade of brain），前美國第一夫人希拉蕊（Hilary Rodham Clinton）也在白宮召開腦與教育的記者會，強調大腦發展與學習上的關係。

很多有經驗的老師都覺得教男生和教女生是不同的，他們用一樣的方法教，成果卻不同。《養男育女調不同》（*Why Gender Matters*）就是一本最新的從大腦神經結構上的不同看男女性別差異的書，對很多我們觀察到的現象提出合理的解釋。

作者說明了男生和女生學習的方式不同，所以認為男女合班上課對男女生都不公平，他建議同校但分班，甚至男女分校。這個主張乍看之下好像開倒車，因為在一九六〇年代，女權主義者費盡九牛二虎之力才使得單性學校如西點軍校收女生，現在居然又說要回復單性學校，這不是開倒車嗎？但是把書看完就明瞭了，因為書中列舉的理由我在北一女時都親身經歷過。

在女校中，我們做任何事都不會考慮性別，女校中的女生會很自然的選擇吹小喇叭或打鼓，在北一女立志要念物理和數學的同學比比皆是。但是男女合班就不一樣了，女生會比一般女性更女性化，不會選擇念理工科也決不肯吹小喇叭，男生也更要裝出男子漢大丈夫的氣概。所以男女合校的女生最在乎的就是她的外表，尤其現在髮禁又解除了，更要花很多時間打扮自己（朋友說她的孩子每天一進了浴室就出不來，在裡面想盡辦法使自己更漂亮）。不過作者主張男女分班最主要的理由是在教學策略上應有不同，這本書應該可以說服很多老師在設計教學方案及出家庭作業上有所不同。

本書另一個重點是管教、紀律的方式。作者認為父母不是孩子的朋友，是監督保護他的人。朋友是平等關係，朋友的話可以不必聽；但父母是監護人，長輩的忠告不可當耳邊風。所以作者說，如果你覺得孩子應該參加某個夏令營，而他不肯去時，你要堅持，因為父母有責任打開孩子的眼界。人不太可能喜歡一個不曾接觸過、不知道的東西，如果他接觸過了仍然不喜歡，便可以作罷；但是要讓他先試試看，所以父母應該儘量讓孩子接觸不同的新東西，培養他的多元化。

作者也說父母要以身作則，如果不要孩子抽菸，自己就不可以抽菸，因為模仿是最原始的學習，家庭是最早的學習場所，教育應該從家庭開始。他認為現在過動兒這麼多，部分原因是這些孩子從小缺少家教。現在父母都順著孩子的意，不吃蔬菜便由他去，改吃漢堡、炸雞；不想睡覺便由他去，徹夜看電視、打電動……他認為這是不對的，因此在書中，他花了一章的篇幅解釋紀律的重要性：一個沒有紀律的孩子是無法受教的，一個不能受教的孩子，他的前途便有限了。父母以為順著孩子的意，不讓他哭鬧便是愛孩子，其實反而害了他，進了學校後便被視為過動兒。

書中舉的例子中，竟有十歲大的孩子一天要吃三顆藥，令人震驚，也令我們沉思。很多時候過動兒不是真正的過動兒，是後天不恰當的環境造成的。書

中提到的傑夫瑞是個過動兒，但是他卻可以在非洲茂密的草叢中一動也不動的坐上好幾個鐘頭，等待獵物的出現，與《愛因斯坦的孩子》（中譯本遠流出版）中的過動兒一樣，當他們有目標時，他們可以學會控制自己，一樣可以完成任務。

這本書的前半部從科學上破解很多迷思，如腦大不等於聰明，後半部談教養孩子的方法，兩者都非常重要。腦大就聰明是我們台灣最深入人心的一個迷思，書中舉實驗證據說明腦的大小與身高體重有關，雖然女性腦比較小（在校正過身高體重後仍如此），但是女性大腦每公克組織的血流量比男性高，在許多重要部位，女性大腦細胞比較大，可以接收比較多的訊息，女性大腦功能的分布也和男性很不一樣。

作者說我們不應該問男生比較聰明還是女生比較聰明，應該問「在做什麼事的時候」男生比較優勢還是女生比較優勢。他說爭辯刀叉好還是湯匙好是沒有意義的，必須看你是要喝湯還是要切牛排，如果掌握住這點，就不會發生哈佛校長桑默士（Lawrence H. Summers）失言的事了。

在台灣，很多孩子過得很不快樂，追根究柢，是我們的教育制度沒有讓孩子的長處表現出來，反而提早給孩子很多他能力還做不到的作業，打擊他的自信心。現在幼稚園教的東西是我們以前進小學才學的，孩子還未準備好就教他閱讀、寫字、作心算，會使這個孩子痛恨學習，而且覺得自己一無是處。其實每個人開竅的早晚不同，但是被分到後段班、放牛班（或直接被稱做笨班）的孩子自尊心所受到的打擊，卻是沒有什麼可以補償回來的。

書中的例子我們每天都看得到，一個孩子雖然才五歲，但是老師嫌他笨、不喜歡他，他馬上知道。麥修的故事令人不忍，當孩子不肯上學時，父母要靜下心仔細檢查孩子的課程與他能力之間的關係，揠苗助長只會害死苗而已，沒有任何好處。孩子早一年上學與晚一年上學其實無關緊要，因為人生很長，對一個平均壽命七十八歲的現代人來說，他是五歲入學還是六歲入學又有什麼差別呢？人生是馬拉松，不是百米衝刺，時間一拉長，現在覺得不得了的事，以後回頭看起來不過爾爾。

書中凱特琳自殺時的遺書上寫著：「真實的我是又胖又醜又笨的女孩……我不想做真正的我，我恨那個女孩……」這難道不是我們很多年輕人的心聲？我們都不喜歡真實的自己，都不能面對晚上卸下假面具的自我，所以才有這麼

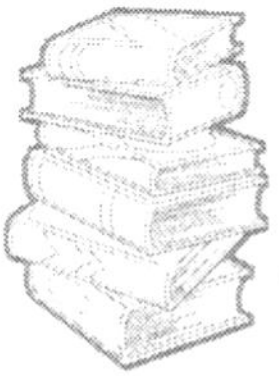

多的自殺案例。父母老師如果能看到孩子的優點，找出他的長處，孩子就不會覺得活著很痛苦。

在現在的社會，權力已從父母手中轉到尚未成年的孩子手上，父母什麼事都要徵詢孩子的意見，肚子餓了嗎，要不要吃飯？太晚了，要不要去睡覺？作者強烈質疑這是對的事情嗎？他說一個功能良好的家庭不是民主的家庭，重要的是孩子不應該有投票權，因為孩子心智尚未成熟，就像未成年人不能參政一樣，父母對孩子有監督保護的責任，小孩應該聽大人的話。

當然他不是主張獨裁，但是書中舉的例子讓我們看到過猶不及都不好，父母可以信任孩子，但不可以放任孩子。所以他說，把電視機及電腦放在公共空間，使孩子看電視或上網時，父母隨時可以監督，這不是侵犯隱私（因為沒有進入孩子的臥室），這是監督保護，使孩子不受色情、暴力的污染。

二〇〇五年《天下雜誌教育專刊》的主題是「家庭教育」，他們訪問了很多國中生，發現孩子最痛恨的是「補習」，最希望的是「父母聽他說話」。這本書可以與家庭教育專刊互補，讓父母知道應該怎麼帶孩子才是真正對他好。作者說「快樂時間」（和孩子一起做他喜歡做的事）和「管教時間」應該是七比一，如果花在管教上的時間比陪他玩的時間還多，父母就要檢討。如果台灣父母能做到這一點，我們的孩子會快樂很多，精神科病房也不會人滿為患。

這本書是這幾年來少見的有理論根據的教養書，它使我停下手邊原先在翻譯的另一本書，盡全力先把它譯出來。在目前混亂的社會中，它有迫切性，社會、家庭、學校是教養孩子的三大支柱，缺一不可，一個國家的希望在孩子，只有青出於藍更勝於藍時，我們台灣才有希望。（原載於《養男育女調不同》，導讀）

4

生命

科學

01 鐘鼎山林各有天性

《腦內乾坤——男女有別，其來有自》自二〇〇〇年九月出版以來，匆匆已五年，最近遠流出版公司主編來電告知要改版，囑我為新版寫幾個字。科普書在台灣能再版算是大事，表示這本書所帶來的知識是有民意基礎，符合民眾需求的。

的確，少子化以後的台灣，男孩、女孩一樣寶貝，既然只生一個，這個孩子無論男女，父母都會盡全力把他栽培成才；再加上腦科學的發達，父母親逐漸知道他的寶貝孩子做出某些行為是有大腦上的關係：男生、女生不但生理上有不同，心理、情緒、學習上也有不同，父母養育的方式當然也必須有所不同，這個需求使得這本書能夠持續在書店寶貴的販賣空間上佔一席之地。

書名：腦內乾坤
作者：Anne Moir & David Jessel
譯者：洪蘭
出版：遠流

二○○五年一月，哈佛校長桑默士作了一場演講，談到哈佛享有永久教書權（tenured）教授中男女比例的差異，他認為女教授比男教授少的原因是：(1)女生不像男生願意為高權力的職務犧牲；(2)男生對高階的科學比較有天生的性向；(3)過去女生受歧視，不被鼓勵去念科學。他這場演講引起軒然大波，最後導致他辭職下台。這個事件更引起很多人對男女性別在大腦功能上的興趣，大家好奇的是，男女究竟有沒有ＩＱ上和性向上的差別？桑默士下台是無辜的呢？還是罪有應得？

其實大腦是個複雜的器官，人的行為更是複雜，把一個這麼複雜的東西三言兩語就下定論，太過簡單化，就容易落入我們台灣流行的二分法，非藍即綠，非黑即白，這是很危險的。現在從腦造影的實驗上我們看到，男女在處理同一件事情時，大腦活化的區域不同，這個不同來自神經組織結構上的不同。例如女生聯結兩個腦半球的胼胝體比男生厚，肉眼就看得出來（胼胝體是百萬以上的纖維束，是兩個腦半球中間的橋梁）；男生在功能上的分布是區塊性的（compartmental），例如男生說話時，只有左腦前區活化起來，女生卻是兩邊都有活化，是擴散性的（diffused）。

我們研究所有一年的博士班考試題目是「從腦造影研究中，我們看到男生說話左腦前區活化，女生說話時左右腦兩邊都活化，試從演化的觀點來解釋為什麼男生把所有的雞蛋放在一個籃子裡，大腦受傷，功能就喪失，女生放兩邊，一邊壞了還有另一邊可用？」其實，演化不可能只偏向女生，一件事，有利必有弊。男生因為只活化一處，所以比較專心；女生因為功能分散各處，是擴散性的，所以比較不專心，常常一心二用或一心多用，但這也造成女性是比較好的人事主管，因為她可以同時顧到幾個層面，對細節的敏感度會在事情未滾雪球變得不可收拾前先處理掉。

這種功能上的各有利弊如果爭論誰聰明、誰能力好是沒有意義的，這就好像湯匙和刀叉都是餐具，但是功能各有不同，孰優孰劣要看情境的需求：喝湯時，當然是湯匙佔優勢，切牛排時，當然是刀叉好用。男女性別差異也是一樣，端看在做的是什麼事情。所以男生應該做男生擅長的事，女生應該做女生擅長的事，每個人的天賦不同，擅長的事也不同，只要享有同樣的機會，有著同樣的酬勞便是平等了。

我是女教授，因為我把家庭放在第一順位，所以我沒有去爭取高權力職務，這是我的選擇，是每個人人生觀的不同，我不認為這是犧牲。也有男生選擇家庭第一，美國現在很多名校，如ＭＩＴ、賓州大學、布朗大學的校長也是女生，她們選擇爭取高權力的職務，鐘鼎山林各有天性，不可強也。男女從事的科學領域跟他的性向有關，跟性別無關。當社會邁向二十一世紀，女生享受的機會與男生一樣多時，哈佛的女教授就會多起來了。

這本書值得再版，因為它讓我們以正確的態度看待性別差異。（原載於《腦內乾坤》，新版譯序）

02 正確認識大腦

俄國在心理學方面是個重要的國家，十九世紀末期巴夫洛夫刺激（鈴聲）—反應（流口水）的實驗奠定了古典制約理論，也造就了美國的行為主義。二十世紀中期盧瑞亞（Alexandr Luria, 1902-1977）因為在神經心理學上的成就被人稱為神經心理學之父。但是因為鐵幕的關係，蘇俄跟外界的溝通非常少，俄國的研究不能在西方的期刊上發表（怕洩漏國家機密），所有有關俄國的消息都是片段的，從東歐國家輾轉傳過來，這個神祕性大大增加了人們對俄國的好奇心。

一九七〇年代尼克森（Richard Nixon）做總統的時候，因為受到掌握美國經濟命脈的猶太團體的施壓，便透過祕密外交，使俄國短暫地開啟了國門，允許猶太人離開俄國到以色列，本書的作者高德柏（Elkhonon Goldberg）就是那個時

書名：大腦總指揮
作者：Elkhonon Goldberg
譯者：洪蘭
出版：遠流

候到了以色列再移民到美國的。

誠如他自己在《大腦總指揮——一位神經科學家的大腦之旅》（*The Executive Brain*）書中所說的，身為猶太人，到哪裡都受到隱形的歧視，但是當政府政策一改時，這個歧視立刻變成福賜，政策允許猶太人移民到以色列，頓時，無數人恨不身為猶太人。

看到這一段時，我心中馬上想到我們的原住民，要提升他們的地位，扭轉一般人對他們的偏見還是要靠政治，當政府給予他們別人所不能享有的權利時，他們身價馬上會上升。作者來到美國後在紐約落腳，開始了他成功的臨床心理師生涯。

因為他曾在神經心理學家盧瑞亞底下受過完整的神經心理學訓練，所以他在看診時，會考慮大腦內在機制跟病人受傷後表現出來不正常行為上的關係。因而提出了他的「遞進理論」。現在越來越多的實驗發現過去那種左腦分析、右腦空間的二分法是錯誤的，大腦就好像一個家庭有兩個兒子，當一件事情發生時，老大（右腦）先去應付，在處理得很熟悉之後，再交給老二（左腦）做。右腦有解決新情境問題的能力，左腦則負責處理已經習慣化了的行為，因此，在學習一個新訊息時是從右腦再到左腦，因為從陌生到熟悉本是這個世界的普遍性原則。

我覺得他的看法是正確的，因為我們的實驗也看到如此的現象，小孩子在學語言時，是先從右腦開始。史泰爾（J. Stiles）發現，在出生前或出生後六個月內有一邊腦半球受傷的孩子，等他們長到八至三十一個月大時做實驗，雖然受傷的時候是在語言發展之前，但他們的語言發展都有遲緩的現象，尤其是右腦受傷的嬰兒對語言了解的缺失較嚴重，這現象跟成年後、左腦受傷易有失語症的情形正好相反。所以二〇〇二年不幸去世的伊莉莎白・貝茲教授認為語言的學習和語言的運作可以是不同的區域，學習的地方不一定是長大後使用和維持語言的地方。

這個觀點對傳統的左腦語言、右腦空間的支持者當然是很大的衝擊，但是以本書作者的觀點來解釋則是再自然不過——新奇的在右邊處理，熟悉了再換回左邊。我想，一個觀念被接受是需要花上一段時間的，在科學上叫做「典範的轉移」（paradigm shift）。

對於腦，因為造影技術的進步，我們現在已能在活人大腦上看到線上工作的情形，所以這方面的爭議應該很快會有定論。比較憂心的其實是我們台灣，因為升學競爭激烈，父母非常相信如何潛能開發增進孩子腦力這方面的廣告，只要能使孩子變聰明，再多的錢都願意掏出來。其實補習班補的都是表象，真正的聰明才智是要靠閱讀慢慢地累積。要防止父母受騙，有正確的腦知識最重要，這也是我負責遠流生命科學館最主要的目標，幾年的努力也使人們對大腦的認識提高很多，可以說完成階段性的任務了。

在人的大腦中，額葉是最後發展完成的腦，也是最後成熟的腦，大約到二十歲才成熟，它主宰著我們的決策，抑制我們不要去做不該做的事，就像《木偶奇遇記》中那隻小蟋蟀一樣，是我們的「良心」，這是為什麼全世界的法律都是訂十八到二十歲為成年，成年以後一個人要為自己的行為負責，在這之前若不幸觸法，因為未成年，法律會給予酌量的減刑。台灣因為車禍頻繁，騎摩托車者摔傷前腦，使人格整個改變的病歷很多，很像本書中所描述的個案，錦繡前程都在一剎那間毀滅了。我很希望家長和老師都能讓孩子讀一下本書，了解一下額葉對人格的重要性，好好地保護自己的腦。

本書獻給對心理學有重大貢獻的貝茲博士，她的英年早逝是科學界的巨大損失，但是她的典範長存！當我們政府出商務艙的機票請她來台評審卓越計畫時，她從羅馬坐經濟艙來台，因為錢可以用在更好的地方（實驗上），這種為學術不計較個人辛苦的學者風範，令我們懷念她。（原載於《大腦總指揮》，導讀）

03 看大腦在說話

有人說心理學有很短的歷史、很長的過去。這句看似矛盾的話其實有其道理，因為心理學的主旨在追尋「我是誰？」這個問題，哲學家從兩千年前就一直問到現在，心理學源自哲學，所以它有很長的過去；但是到一八七九年馮特（Wilhelm Wundt）在德國的萊比錫成立第一個心理學的實驗室，才開始用實證的方法來探討「我是誰」，大家把那一年當作現代心理學的起始，所以說它有很短的歷史。不論歷史的長或短，這個自我的問題直到最近才露出曙光。

跟自我最有關係的當然就是記憶，所以最早的心理學實驗都圍繞著人的記憶本質在打轉，用的也都是看得見、可以被別的實驗室重複驗證的方式。但是記憶牽涉到意識，而意識是個看不見、摸不著又很難測量的東西，佛洛伊德（

書名：心思大開
作者：Steven Johnson
譯者：洪蘭
出版：遠流

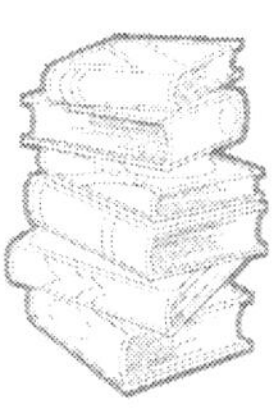

Sigmund Freud, 1856-1939）「沒有記憶」的潛意識就曾經流行了一百年，直到最近才褪去它的光環。

在過去，對於意識及心靈的研究都只能用「內省法」，讓受試者自己大聲報告思考的歷程或內心的感覺，不用說，這是個很不客觀的研究法，常被人鄙視，現在這一關已克服了。

二十世紀末腦造影技術精進以後，這方面的知識突飛猛進，科技使我們在活人大腦上頭看到人類即時（線上）工作的情形。我們從大腦中的血流量推測這個部位有無活化，再從過去臨床的證據推測這個區域活化所代表的功能。一個活化、正在工作的大腦部位需要比較多的血液支援，因此，核磁共振（MRI）是計算這個區塊帶氧血紅素和去氧血紅素間的差異，而正子斷層掃描（PET）是直接看葡萄糖的代謝：顏色越紅的區塊越是有在工作，越藍綠色的越是沒有在工作。

透過臨床上病人因腦傷而導致某一功能的喪失，我們得到該區塊功能的了解，再透過正常人大腦血流量的顯影，我們逐漸可以拼湊出一個人內在的思考情形。於是我們就在大腦裡看到「口是心非」——嘴裡說的跟他心裡想的不一致，也看到「秀色可餐」——男士看到漂亮的女人時，大腦活化的部位跟他吃巧克力糖時是同一地方。最有趣的是，我們看到戀愛跟情慾在大腦中活化的是不同的部位，有性別上的差異，難怪人家說女人是因愛生慾，男人是因慾生愛，男女不但大腦結構不同，連戀愛這種一定要兩個巴掌才拍得響的事，在大腦中也有不同。

最神奇的是，莎士比亞（William Shakespeare, 1564-1616）在寫《仲夏夜之夢》（*A Midsummer Night's Dream*）時，並不知道世界上真的有「愛情靈藥」（Love Potion）這回事，仙境女王緹坦妮雅（Titania, Queen of Fairyland）在入睡時被人偷偷在眼睛上塗了愛情靈藥，結果醒來便愛上睜開眼時看到的第一個東西——一個驢頭的人！莎士比亞一定想不到他的想像會成真，只不過不是發生在人身上而是發生在田鼠身上罷了。

有一種田鼠是一夫一妻制，交配之後便形成終身伴侶，不再與別的田鼠雜交。實驗者把多巴胺感受體的催動劑（agnoist）打進母鼠體內，當藥物作用到大腦的某處時，母鼠就會和第一隻進入她眼簾的公鼠交配，不管牠是誰的配偶，而且如果把另一種藥物打進去阻止激乳素作用，那麼原來忠貞不二的田鼠立刻變成花心大佬官到處留情。想不到連這個完全是「心」在作用的感情世界，竟然也受到「物」（神經傳導物質）的影響，會胡亂愛上第一個出現眼前的人，誰說愛情不是盲目的呢？

掃描戀愛中的人看到情人的相片、母親聽到孩子的哭聲和毒癮者到達吸毒的高潮時，發現這三種情形大腦活化的地方都非常相似，雖然外在的經驗不同，內在所產生的化學物質卻相同。海洛英和古柯鹼這種毒品，一染上就很難戒掉，因為它直接作用到大腦中愛／愉悅的機制上。

有個實驗讓老鼠進入實驗箱後，可以選擇按桿讓電流通過頭頂上的電極，去活化牠大腦的快樂中心而產生性交高潮的感覺，或是按另一根桿使食物掉下來可以吃，結果這隻飢餓的老鼠一進到實驗箱便拚命按高潮的桿，連分一點時間去進食都不願意，最後餓死在高潮的桿子下，應了中國人說「牡丹花下死，作鬼也風流」的話。

過去我們常不了解吸毒的人為什麼這麼狠心，可以做出賣兒女換錢買毒品這種事，現在我們知道，毒品在大腦中作用的地方跟讓父母犧牲自己、衝入火場中搶救孩子是同一個，難怪有人感嘆我們是化學元素的結合，「來自塵土，終歸塵土」。

但是倒也不必太悲觀，我們並非完全受制於「物」，人的意志對腦內的生化物質也有作用，意念可以引發荷爾蒙的分泌，如憤怒時可以產生壓力荷爾蒙。所以現在的健康醫學才一直鼓勵人要有生存的意志，要有生活的目標，心情可以影響荷爾蒙的分泌。過去笛卡兒所說的心物二元論，我們現在知道是不對的，心物是一體兩面，密不可分的，而且基因和環境會交互影響我們人格的成長。

最主要的是，近代研究技術的進步讓我們看到古人所說「相由心生」的道理，真正快樂時的微笑與官夫人剪綵時的皮笑肉不笑是不同的。有病人中風後，拍照時無法把嘴角上揚微笑，但是他在聽到一個笑話時，會不由自主的嘴角上揚笑起來，這讓我們看到這兩種微笑是不同的神經機制在主控。如果每天皺著眉頭、哀聲嘆氣、咬牙切齒、發脾氣，日子久了，自然就變成愁眉苦臉或滿臉橫肉。內外是個交互作用，看到相由心生的神經機制，不由人不佩服古人的觀察力。

人都希望長生不老，最近對於長壽的研究發現除了基因之外，最主要的

是社會支持，有很多的朋友相互關心，生活平淡寧靜的人活得比較長。有一句格言說：「你可以付出而沒有愛，卻不能有愛而沒有付出。（You can give without loving but you can never love without giving.）」又說：「愛人及被人所愛是這個世界最大的快樂。（To love and be loved is the greatest joy in the world.）」人活到最後，追求的就是有愛和被人所愛的自我。

心理學花了很長的功夫想要追尋的「我」，現在發現完全不必外求，它就在你的大腦中，是各種神經元活動的總和，「尋他千百度，驀然回首，那人卻在燈火闌珊處」，相由心生，命也由自己在控制，造命者天，立命者我。心理學的歷史雖然短，拜腦造影技術之賜，我們慢慢解開大腦之謎，神祕的面紗一層層揭起，底下真實的自我也就水落石出，呈現在我們面前了。

《心思大開——「我」在腦中顯影》這本書的英文名字叫 Mind Wide Open，當你將心扉敞開，接納前所未知的各種大腦知識時，你的自我也會慢慢地浮現，你知道，它一直就在那裡，你只是不懂得去看罷了。（原載於《心思大開》，譯序）

04 心靈創造大腦

三百年來，笛卡兒告訴我們「我思故我在」，心物是二元的，現在，《重塑大腦》（*The Mind and the Brain*）這本書舉了非常多的實驗證據告訴我們威廉・詹姆士（William James）才是對的：心靈可以改變大腦，意志力即專注力，心物是一元的，作者甚至說心靈創造大腦，人的意志力可以重新改造大腦皮質神經元的聯結，這本書會使很多人在墳墓裡翻身。無可諱言的，這是一本非常震撼的書。

作者為加州大學洛杉磯校區精神醫學的教授，早年接受的是佛洛伊德心理動力學（Psychodynamic）心理分析的訓練，卻能跳出傳統的窠臼，以前所未有的眼光來看過去治療強迫症等精神官能症不合理的地方，從改變神經迴路以減少

書名：重塑大腦
作者：Jeffrey M. Schwartz & Sharon Begley
譯者：張美惠
出版：時報出版

強迫行為的出現，得到很好的效果。由此，他走進大腦可塑性的領域，替精神醫學打開了一個新天地。

他的看法，對現代認知神經科學研究者來說是最合理不過的，後天的學習經驗本來就可以改變大腦皮質的神經結構，不然教育怎麼能變化氣質呢？但是，在當時，很多有名的科學家都受到教條的束縛，對於擺在眼前的證據視而不見，有人甚至因為太生氣了，站起來反駁時，無法用英文表達，只好用芬蘭語罵，這種情形在書中有精彩的描述。我們再一次的看到一個觀念的改變需要一個世代時間（台灣教改的不成功主要是「萬般皆下品，惟有讀書高」的觀念仍然沒有改過來，父母仍然要孩子去擠明星學校的窄門，不管這個窄門後面的情境對自己的孩子適不適合），而一個教條的改變更需要一個世紀的時間。

一九一三年，西班牙神經解剖學家，也是一九〇六年諾貝爾生醫獎的得主卡哈（Santiago Ramon Cajal）在〈神經系統的退化與再生〉的論文中說了一句影響深遠的名言：「成人的大腦神經迴路是固定不變的，神經死亡不會再生。」他認為大腦的主要感覺管道系統如視覺皮質、聽覺皮質、感覺皮質在一出生就已確定，不能改變。六〇年代的兩位諾貝爾獎得主修伯（David Hubel）和魏塞（

Torsten Wiesel），更以實驗顯示小貓的視覺皮質過了關鍵期分化已完成後，大腦就不再隨著視覺經驗而改變，所以成熟的大腦皮質是固定不變的。

這後來成為神經學的一大教條。縱然在薛靈頓（Sir Charles Sherrington）、賴虛利（Karl Lashley）和法蘭茲（S. T. Franz）的動物實驗上都看到大腦的可塑性，但是這些資料因為不符合教條，因此都被棄置一旁，不予重視。難怪西諺有句話說：「狗是人類最好的朋友，教條是人最惡的敵人。(Dog is man's best friend, dogma is man's worst enemy.)」連拿過諾貝爾獎、封過爵士的薛靈頓都動搖不得教條，由此可見教條的威力。

這個情況一直到陶柏（Edward Taub）的出現才改變。陶柏是心理學家出身，因此他身上沒有背負神經學的包袱，他勇往直前的挑戰卡哈的教條。在這裡，我們看到科際整合的重要性，只有來自不同領域的人才會為一個老的領域注入新血，帶來生氣，就像中國歷史上，五胡亂華之後，中國融入了許多新的血統，帶來唐朝三百年的興盛，文治武功都超越前朝。陶柏自己說：「我是學心理學的，我的神經科學知識是自己研究來的，因此我不曾被灌輸神經科學的傳統觀念，我才能看到實驗數據的真正意義。」這一點在科學研究上非常重要，人往往被自己的信念所矇蔽，看不見應該看到的真相。

陶柏也是美國科學史上第一個因為被控訴虐待動物而受到起訴的科學家，他在解職、失業，研究獎助金全數停止之後，鍥而不捨，最後又回到學術界繼續他原來大腦可塑性的研究，終於對人類福祉做出貢獻，他的堅毅精神實在令人敬佩。

沒有經歷過「動物解放軍」（animal liberation army）侵襲的人可能無法想像一九八〇年代實驗者的恐懼。那時風聲鶴唳，草木皆兵。我們在加州大學的動物實驗室也被侵入，儀器打壞，資料損毀，動物全被釋放到校園中，不論這些動物身上原來注射的是什麼病毒。有一陣子，加州大學校園中入夜都是兩顆亮晶晶的眼睛，車燈一照會反光，那些全是逃脫的負鼠、貓和狗，我們不敢在校園中走路，生怕萬一被咬，傳染到病毒。

任何事過猶不及都是不對，虐待動物固然不對，侵入實驗室損毀實驗者數年的心血也是不對。在本書中，我們其實看到實驗室的猴子對大腦可塑性的貢獻。如今各家醫院都有復健科，中風的病人已不像過去那樣絕望，一旦癱了，一輩子站不起來。這難道不是動物實驗對人類的貢獻？這個癥結在「民胞物與」，我們應該善待所有的動物如同你自己的寵物，不讓牠們作無謂的犧牲。

這本書尤其讓我們看到知識累積的辛苦，一點一滴都是前人的血汗。我看到實驗者做大腦地圖時不敢離開實驗室一步，生怕一有差錯，前功盡棄，連回去母校參加博士學位的畢業典禮都不敢，不禁想起當年二十四小時睡在實驗室的情景。很奇怪的是，現在回想起來，那段在研究所的日子竟是我一生中最愉快的日子，或許那時年輕，像陶柏一樣，不知天高地厚，心中只有追求真理，所以雖然做得很辛苦，但是精神上很愉快。

這是一本非常好的神經精神醫學科普書，它的第五章，神經學的回顧史，是我看過寫得最清楚的一章。從書中人物的描寫，我們看到成功沒有偶然，它絕對是血汗的成果。毅力是任何一個領域成功的不二法則。作者最後對心物的討論在心已被物所遮蔽的台灣或許很有用，可以喚回一些沉淪在物質慾望中的心靈。

這是本令人深思的書，從物（大腦）出發，最後回歸心（意志力）。歸真返璞或許是在這個社會亂流中尋求心靈合一的一個可能方式。（原載於《重塑大腦》，推薦序）

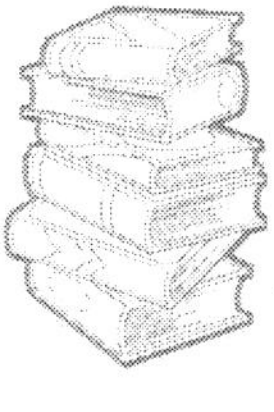

05 用科學的方式了解情緒的本質

在一個領域中要找到一個大家都公認的開山始祖非常不容易，幾乎每次名字提出來都會有爭議，總會有人說已經有別人在他之前做出貢獻了。只有在「情緒」這個領域，保羅．艾克曼（Paul Ekman）的名字提出來不會有爭議，大家公認他是以科學的方式研究情緒的第一人。事實上也沒有別人像他這麼清楚的知道臉上每一條肌肉跟表情的關係，更沒有人敢像他一樣用針刺穿皮膚，以電流刺激肌肉，看產生的是那一種表情。他一九七八年出版的《臉部動作表情登錄系統》（*Facial Action Coding System*），我們實驗室有買一套供作實驗用，到現在為止快三十年了，全世界還是除了他，沒有別人。讀者可推知他在這個領域的地位。

書名：心理學家的面相術
作者：Paul Ekman
譯者：易之新
出版：心靈工坊

但名聲的得來是沒有偶然的，艾克曼曾經坐單引擎小飛機深入不毛，去到新幾內亞，研究還生活在石器時代，不曾受到文明污染的原住民的表情，發現基本的喜怒哀樂情緒是全世界所有人都有的，不論這個表情叫什麼名字，所有民族都一眼就能辨識；但是其他的表情如輕蔑、厭惡就比較困難了，依民族性不同而有不同的解讀。臉本來是洩露內心感覺的一個窗口，中國話也有「翻臉如翻書」「頓時拉下臉來」的說法，艾克曼認為應用他的臉部肌肉的辨識方法，可以在十五分之一秒的時間內判斷出這個人有沒有說謊，這點很讓人驚奇，果真如此，一些冷面殺手就法「眼」難逃了。

在《心理學家的面相術》（*Emotions Revealed*）這本書中談到各種情緒的生理機制，也區分出心情和情緒的不同（情緒是暫時的，來來去去，心情是較長期性的感覺），因為情緒會在出現後，很短的時間之內掌控我們的行為，所以很多國家都投下大量的資源以了解人是否可以預知情緒，阻止悲劇的發生，或是事先做好準備以處理重大事件，當然更想知道的是，我們是否可以改變引發情緒的因素。

目前因為腦造影技術的精進，已經有很多神經學家利用功能性核磁共振（

fMRI）直接觀察受試者在不同情緒時大腦的即時工作情形，比如說，一個人在看到情人相片時，大腦活化的地方與接受海洛英刺激時是同一個地方，難怪戀愛中的人如痴如醉，夏天不怕熱，冬天不畏寒，連墳墓都敢去。也有個實驗是給男受試者看美麗女明星的相片，結果發現大腦受刺激的地方與吃巧克力等美食在同一處，印證了我們老祖宗所說的「秀色可餐」。

本書最好的地方是用科學的方式讓你了解情緒的本質、來源、大腦機制以及表現出來的方式，釐清了過去的一些迷思。例如，驚嚇和驚訝的表情不一樣，而且是正好相反。這點很多人沒有想到，因為我們常把它們交互替代使用。艾克曼發現他用沒有裝子彈的槍頂住受試者時，那個人臉上的表情（不用說，這絕對是驚嚇）與驚訝有三點不同：第一，驚嚇的時間比驚訝短，表情只維持四分之一秒左右。我們在好的偵探小說內會看到某個以為已死的人突然出現時，兇手臉上會閃過驚嚇的表情。

第二，驚嚇不因事先知情而不出現，我們在看到別人放鞭炮時，雖然已知會有巨響，但是當巨響出現時仍會驚嚇，只是強度沒有完全意外時那麼大而已。但是事先知情的話，就不會出現驚訝。所以，一個好的警探非常需要有辨識臉部表情的能力，使他在辦案時能對兇手故做驚訝的表情有正確的解讀。

最後，驚嚇是身體反應，不是情緒反應；而驚訝不是身體反應，只是情緒反應。許多人在看過電影《油炸綠番茄》（*Fried Green Tomatoes*）後，都會被片頭那個穿了新鞋的男孩，腳卡在鐵軌裡，面對著急駛而來的火車臉上的表情無法忘懷。

艾克曼告訴我們為什麼有人遇到危險會僵住無法反應，眼睜睜的看著悲劇發生。因為人是演化來的動物，遇到潛行的掠食者突然出現時，第一個保命動作是僵住不動。眼睛的演化對會動的東西特別敏感，馬上會被吸引，但是對不動的東西常視而不見，所以，動物面臨危險演化出的第一個反應便是僵住不動，以期能騙過掠食者，假如掠食者更靠近時，就表示他沒有被這個「擬態」所騙，這時必須拔腿就逃才能保命。

艾克曼接著指出生氣的目的，一個不生氣的人是不會打架的，戰士要上戰場之前，指揮官一定要讓他們心中充滿憤怒，打仗才會贏，所謂的「同仇敵慨」。電影《鯨騎士》（*Whale Rider*）中，毛利人武士要出征前跳的勇士舞，吐舌頭、做出兇惡的表情、用力拍打胸脯、發出巨大聲音都是恐嚇對方，做出生氣的樣子要使勇士生氣。

艾克曼告訴我們臉上的肌肉可以帶來情緒，每天強迫自己微笑的人，心情會比每天哭喪臉的人好。其他如輕蔑、嫌惡表情的觀察更是現代婚姻中的男女不可不知的部分。的確，如果沒有「敬」，這個婚姻是維持不下去的，不論其他的條件是多麼的優厚。古人說「相敬如賓」是非常正確的。

這本書將每一種情緒的生理原因、臉上肌肉表情都做了詳細的說明。我們以前一再說年輕人沒有涵養，喜怒形於色，現在終於有一本好書教我們如何控制情緒了。「了解」一向是所有學問的開始，要修身養性，就從先了解自己的情緒開始吧！（原載於《心理學家的面相術》，推薦序）

06 從物理學到心理學

戴維斯（Paul Davies）在《上帝與新物理學》（*God and the New Physics*）一書中寫道：「有了演化論，我們已不需要神來解釋生物的多樣性，有了新物理，我們還要神來解釋宇宙的本質與人的存在嗎？」他的意思是說，新物理學已能回溯到時間起點的那一瞬間，科學家既然了解了宇宙的起源，就不需神而可以解釋一切事物的存在，所以他認為：「已經沒有必要把宇宙的規律歸因到某個神的活動」，但是，為什麼還有那麼多的科學家上教堂呢？看起來這件事並沒有這麼簡單。

《布羅卡哪裡去了？》（*The Physics of Consciousness*）這本書是從物理學的觀點來談意識和意志，書名用布羅卡只是個引子，布羅卡（Paul Broca）是一八六

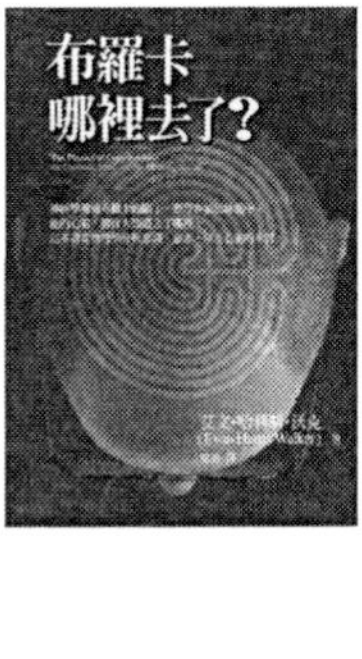

書名：布羅卡哪裡去了？
作者：Evan Harris Walker
譯者：吳鴻
出版：大塊文化

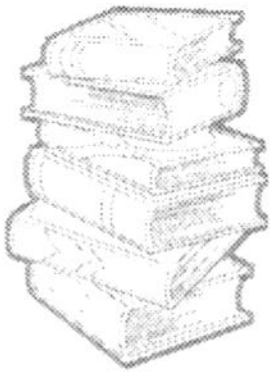

一年第一個宣稱「我們用左腦說話」的法國神經外科醫生，因為他的腦泡在福馬林中，形還在，但是他的心靈已不知飄浮到哪裡去了。因此，這本書借他的名字想從實體的量子力學來解釋虛相的心靈本質。

但是讀者必須有一些物理學的基礎才能了解作者的論點，雖然書中穿插了作者在高中時的一個淒美的少男情懷（他的女友死於淋巴癌），但是全書是物理和哲學的討論，是一本嚴肅的書。它討論：人死了會發生什麼事？意識及意志的本質是什麼？上帝是什麼？為什麼神在萬物規則的角色已消失後還在人們的心中？

作者從貝爾定律的「一個粒子將會對另一個粒子的行為瞬間產生影響」為起點，用「電子穿隧」的現象來解釋意識的起源。他認為意識不是思考，不是自省，它不需要語言，也不需要任何事物，他說「一隻蒼蠅在一間紅色的房間內盯著一片紅色的桌布，牠就會有紅色意識」，但是「子非魚，焉知魚之樂？」，蒼蠅不會說話，也不會寫字，沒有辦法傳遞牠內在的意識出來讓別人知道，目前的科學實驗也還沒有辦法證明蒼蠅有紅的意識。

作者又說「一個人坐在威基基的海灘上，閉上眼，什麼也不想即使過了六個月還是有意識，他就是有意識」，我想只要這個人不死，我們都假設他還有意識，但是這跟「他什麼也不想」無關，因為我們知道人不可能什麼也不想，即使打坐、參禪也是要眼觀鼻、鼻觀心，把心定在一個地方。打坐的人大腦神經元還是在發射的，只是大腦活化的程度比較低而已。

作者說「意識是真實的而且是非物理的」。又說說意識在突觸上，但是二○○○年諾貝爾生醫獎的得主肯戴爾（Eric Kandel）就已指出內隱的記憶是在突觸上。作者只是更進一步說意識是腦內個別突觸的電子量子力穿隧所引起的，一個突觸有二十萬分之一的機率被另一個突觸所激發，每次激發有一・七六位元的資訊被交換，每○・三毫秒交換一次，所以得出大腦中資訊率是每秒六萬個位元，作者說這是意志的通道容量，這個意志就是真實的我們。

很奇怪的是，當我看到物理學家計算出人決定自己行為的最高統帥，我們獨特思維的意志時，我並沒有豁然貫通，「啊哈」的感覺。或許這就是物理學家已知宇宙的起源，但人們心中還是有一個超物理的神存在的原因。

最近達賴喇嘛在麻省理工學院與美國最有名的神經學家、量子力學家、心理學家討論意識的問題，並且親自參與實驗，這已不是第一次兩個極端不同世界的人共同探討意識問題，一個領域必須有新血注入才會有生氣，意識跟大腦絕對有關係，只有用科學的方式探討它才會有突破。二十一世紀是個科際整合的世紀，這本書至少是個很好的開始！（原載於《聯合報》讀書人版）

07 打出人生的滿貫終局

健保局寄給我一張獎狀，感謝我十年沒有用過一格健保卡。我看了覺得很好笑，因為我從來不養身、進補，唯一有的就是保持積極進取，遵循父親教我的話。民國五十八年我赴美留學時，父親告訴我：「不要怕，我們同安人出外打天下靠的是體力，飯要吃飽、覺要睡飽，吃什麼、睡哪裡沒關係，但是心要安才吃得下、睡得著。心安沒有別的法則，只有誠實心才會安。」我去了美國，沒錢買肉和起司，中午花生醬三明治吃六片一樣管飽，學校女廁所外面有張躺椅，我累了就到那裡睡，果然在四年內拿到博士，憑著同安人苦幹的體力，在美國打了一片天下出來。

父親諸多教誨中讓我最受用的是：「不接受能力以外的工作，不管這個工

書名：你想活多久
作者：Norman B. Anderson
譯者：歐陽秀宜
出版：遠流

作薪水有多高。」因為我誠實對待自己，所以沒有壓力；誠實對待別人，所以我心安。到現在為止，我從來沒有失眠過，總是倒頭就睡，不知東方之既白。看到周遭很多人為憂鬱症所苦，不能吃、不能睡，心中實在非常同情，一心想找最新的情緒健康書籍介紹到台灣來，正巧看到諾曼・安德森（Norman Anderson）教授寫的這本有關情緒和健康的書《你想活多久》（*Emotional Longevity*）。

安德森原是哈佛大學的教授，一九九五年轉到美國國家衛生研究院任副主委，學養俱佳，工作的領域正是情緒與健康的關係。這本書在最近藝人倪敏然自縊引發一連串自殺風潮的台灣社會，更有及時雨的功效。書中舉了許多實驗和研究說明心情與健康的關係，尤其第四篇〈個人成就與均富的社會〉，對貧富懸殊的台灣更有不同的解讀。

最近《紐約時報》以全版的篇幅報導社經地位高的人活得比較好也比較久，這點不是新聞，大家本來就知道「朱門酒肉臭，路有凍死骨」，有錢人總是比窮人營養好；但是除了物質上的因素外，還有一個是一般人忽略的社會支持因素。古人道：「富在深山有遠親」，人都喜歡跟有錢人來往，勢利眼好像從來不分古今中外、到處都有，富人的朋友一般來說比窮人多，所以富人較有傾訴的對象，心情較易得到紓解。

京戲《鎖麟囊》中有一段將世人這種嫌貧愛富的嘴臉描述得淋漓盡致：富家女薛湘靈跟窮女兒趙守貞同一天出嫁，遇上傾盆大雨時，迎親隊伍一個說：「龍行有雨，虎行有風，這雨下得好！」另一個則說：「連天公都不作美，這衣裳淋濕了，晦氣呀！」但是這本書的重點是窮人一樣可以有社會支持，人窮志可以不短，窮人一樣可以有很多的社會網絡、得到朋友的支持，而這個支持才是長壽的主要原因。所以雖然社經地位與健康有關係，但那不是絕對的。

許多人愛羨慕有錢人，把自己的不順遂歸因到命不好、沒有含著銀湯匙出生，其實家家有本難念的經，命運的好壞全在自己的一念之間。古人說：「造命者天，立命者我。」如果覺得命是掌握在自己手上，鬱塞的胸襟會豁然開朗，尤其近來的研究發現快樂最重要的因素在有意義，沒有意義的尋歡、縱樂只會帶給人更大的空虛，更多的空虛使人沮喪，追逐肉體感官愉悅的人到老時才驚覺虛度了一生。

人是偏向煩惱的動物，通常只要大腦皮質下的杏仁核一活化，我們就會感到不愉快。要覺得快樂必須有三個條件：第一要有快樂的原因，比如看到情人

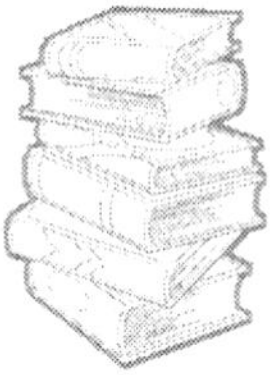

出現、接到升職的消息，這與我們大腦中的多巴胺迴路有關。第二，杏仁核不能活化，一活化立刻蓋過（overwrite）前面的快樂，就像與情人幽會時，看到情人出現（條件一）覺得很快樂，但是緊接著是警察臨檢的敲門聲或是配偶捉姦的高喊聲，立時杏仁核的活化會使前面的歡愉一掃而空。

最重要的是條件三，這個快樂一定要有意義（meaningful），它與我們腦內側的前額葉活化有關。這個地方常常活化的人身體最健康、活得最久，而這個地方的活化是與社經地位無關的。因此，高社經地位的人能得到比較好的醫療照顧、比較少的工作壓力與生活負擔，但是關鍵的條件三告訴我們，這一切仍然在自己的心態、自己對人生的看法以及對自我的定義。

人生不可能樣樣皆有（不然怎麼會說「不如意之事，十常八、九」呢？）我們要把生命的意義定出優先順序，懂得有所取捨，便不會有煩惱。一九八四年，我和我先生一同被邀請去法國開會，對於這個全世界共請了二十五個人的會議，我被包括在內當然覺得非常高興，所以花了很多時間準備演講稿，但是在出發前一天，我的兒子出玫瑰疹、發高燒。我面臨一個事業與家庭的選擇，最後我選擇留下來陪孩子，因為孩子只有一個，事業可以重造。後來我與我先生在事業的發展上差別很大，他一飛沖天，我還留在地上，但是我沒有後悔，因為那是我的選擇。

這本書雖然學術味很濃，舉的都是研究的例子，但也正因為如此，我看重它，因為它不是如坊間一般的書信口開河，舉出聳動的八卦新聞來吸引讀者。書中癌症病人的例子個個有名有姓，有些我認得，從書中知道他們戰勝了癌症，覺得很高興，也更覺得這本書的價值是在用科學的方式告訴我們：長壽是在乎我們自己對生命的看法，基因和環境是個交互作用，不管先天如何困難，我們仍有方法反抗它，決不是坐以待斃，人生最高的境界，是拿到一手爛牌卻打成滿貫終局。

鄭板橋有一首詩，我覺得很好：「常如作客，何問康寧？但使囊有餘錢，甕有餘釀，釜有餘糧，取數頁賞心舊紙，放浪吟哦，興要闊，皮要頑，五官靈動勝千官，過到六旬猶少；定欲成仙，空生煩惱，只令耳無俗聲，眼無俗物，胸無俗事，將幾枝隨意新花，縱橫穿插，睡得遲，起得早，一日清閒似兩日，算來百歲已多。」有這種心情，焉能不長壽？（原載於《你想活多久》，推薦）

08 情緒大腦關係的奠基者

書名：走出宮殿的女科學家
作者：Candace B. Pert
譯者：傅馨芳
出版：張老師

《走出宮殿的女科學家》（*Molecules of Emotion*）這本書，是大腦中鴉片受體的發現者甘德絲・柏特（Candace B. Pert）的傳記，這位女科學家發現奠定情緒跟大腦的關係，使科學家從腦中尋找解決情緒問題的根本之道，開啟精神醫學的革命。

現在的精神醫學前面都冠上「生物精神醫學」，過去認為是這個人意志力不堅強、人格懦弱所造成的強迫症、憂鬱症等毛病，現在都發現有生理上的原因。這個重大的醫療上改變可以往上推到當年柏特跟她的老闆史耐德（Solomon Snyder）那個研究團隊所做的神經傳導物質的研究，所以這本書除了故事精彩之外，另外有科學史上的意義，尤其是這方面的研究改變了社會對精神病患的觀點：既然是大腦神經傳導物質不平衡所造成的行為失常，社會就不應該歧視這些病人，因為人不是神仙自然一定會生病，就沒有理由歧視一個因自然原因而生病的人。

因此，後來哈佛大學醫學院的教授瑞提（John Ratey）就寫了《人人有怪癖》（*Shadow Syndromes*，中譯本遠流出版）這本書，開始大力宣揚精神病也是生理病的一種，不要忌諱求醫，糾正人們的錯誤觀念。像這類的出版品，對台灣來說非常重要，我們有太多的政客平常不讀書，又愛逞強，假裝萬事通，望文生義的胡亂解釋，愛滋病是「喜歡」ＡＩＤＳ，「簡愛」是「簡單的愛」，令人啼笑皆非，最近又冒出「同志亡國論」「同性戀者是天譴」，這些都讓我們深切感覺到正確知識的重要性。

一本好書可以改變觀念、啟發心靈，這本書的出版讓我覺得台灣現在的學生已經沒有藉口趕不上國外的潮流，因為幾乎所有值得翻譯的科普書，台灣都有中譯本，而且速度都非常快，有些甚至是跟國外同步發行，現在的學生真的沒有理由說自己不知道某項資訊，因為都已翻得好好的、印得漂漂亮亮的放在書店中了，缺的只是閱讀的動機與習慣而已。

這本書好看的地方當然是因為內容精彩，高潮起伏。科學上很多發現都是很偶然，如果柏特沒有騎馬受傷，躺在醫院中注射嗎啡，她大概也不會對嗎啡這麼感興趣，堅持要找出它的受體，我們也就對情緒跟大腦的關係不會解開得這麼快。在我念書時，甘德絲．柏特是研究生心中的偶像，每個人都希望能像她一樣，進到一個好實驗室，做出一個能在歷史久留名的好成績，尤其她長漂亮，穿著時髦，怎麼看都不像個科學家，因此就更引人注意。我記得在美國開年會時，同學中還有人專程去聽她演講，一睹她的風采（回來後抱怨為什麼我們實驗室的女生都沒有「女人的味道」）。

但是後來她與指導教授史耐德為了鴉片受體榮譽歸屬的問題鬧上檯面，使人對收鋒芒太露的學生有戒心，甚至有人認為史耐德沒有拿到諾貝爾獎是因為柏特抗議告發的原因。這個事件使得她變成一個非常有爭議性的人物，很多老師認為她是個「麻煩製造者」（trouble maker），離她越遠越好；但是同時也有很多女研究生敬佩她，認為她有勇氣，敢出來為不公平的待遇抗議。

美國的學術界一直是個相當男性主義的地方，雖然說男女平等，其實在某些方面他們還比不上我們，例如美國女性結婚以後一定要冠夫姓（這個「柏特」（其實是她先生的姓），反而我們台灣女生結婚之後不一定冠夫姓，尤其我們做老師的更是一直沿用自己原來的姓。美國學術界女性比例的確是少，而且即使資深，升遷上也常常不盡如意，常被年輕的後起之秀越頭而過，在男性的眼光中女性的確有「舊鞋」的感覺，「舒適、可靠、沒有威脅性」，也難怪在那種環境中出來的女生都銳不可當，如果不是有兩把刷子怎麼可能競爭得過人家，生存得下來。

現在的女生可能很難想像當時的情形，其實「跳躍的基因」（jumping gene）發現者，一九八三年諾貝爾獎得主芭芭拉・麥克林托克（Barbara McClintock）就是個很好的例子，她在獲選為美國遺傳學會的副會長時，密蘇里大學仍然不肯升她為副教授，讓她繼續作助理教授，一直到她的院長風聞她將被選入美國國家科學院的院士，才開始考慮要給她加薪及升級。她幸好活得長，終於等到了諾貝爾獎（得獎時八十二歲）。了解到當年美國女性在學術界的地位，或許我們對甘德絲・柏特的行為可以有所諒解。畢竟「不平則鳴」是人之常情。

這本書最好的地方是讓年輕的學子看到科學的成功沒有僥倖，它真是血汗的成績，一點一滴累積而成。柏特在約翰霍浦金斯念藥理學博士時一早到實驗室做到半夜才回家，但是樂此不疲，一待就是十幾個小時，實驗室氣氛讓她感到奇特的生命力，「那些從不間歇的談話，從科學到藝術到政治，滋養了我，使我生氣蓬勃」。

我當年在學校也是這種感覺，所有同學都留在實驗室中到凌晨才回去睡一下，天一亮又回來繼續做，一天二十四小時，可以說有二十小時是泡在一起的，難怪同一實驗室出來的人有「革命情感」，走到哪裡都相互扶持，畢竟那是一段很年輕、有理想、共同創業的經驗。後來出來教書後才發現，並不是每個念博士的人都有這種經驗，所以就更加珍惜那一段年輕的時光。

這本書可以讓想走研究路途的年輕人先一窺學術殿堂的風貌，如果覺得這種生活不是自己想要的，就可以早一點做別的打算。這是一本令人著迷，放不下來的書，二十年前它的發現令人震驚，二十年後它的回顧仍然震撼人心，在歷史上大概也沒有多少的科學發現如此戲劇化吧！（原載於《走出宮殿的女科學家》，推薦序）

09 從正面的觀點看憂鬱症

在十八、十九世紀的西洋畫或小說中，英國的鄉間紳士散步時都有一隻狗追隨著，忠心地陪伴著主人，《簡愛》（*Jane Eyre*）中的羅契斯特爾先生去到哪裡都有皮勞特這隻狗追隨，連他殘廢了也不棄不離；邱吉爾（Winston S. Churchill, 1874-1965）把他的憂鬱症叫「黑狗」，真是非常的貼切。因為得了憂鬱症，它真的是像黑狗一樣，非常忠心地跟著你，至死方離。

《邱吉爾的黑狗》（*Churchill's Black Dog, Kafka's Mice, and Other Phenomena of the Human Mind*）這本書，從精神分析的觀點來談歷史上名人如邱吉爾、牛頓（Isaac Newton）的憂鬱症，作者認為邱吉爾這麼有鬥志，屢敗屢戰，不屈不撓，是因為他深受憂鬱症之苦，知道如何在絕望中抓住一線希望，不掉入萬丈深淵，英國才能在

書名：邱吉爾的黑狗
作者：Anthony Storr
譯者：鄧伯宸
出版：立緒

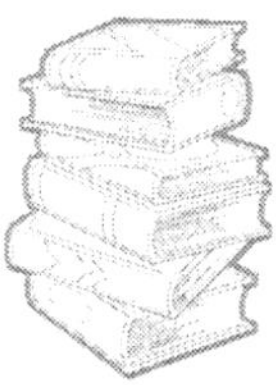

一九四〇年，德軍氣勢高昂、英軍節節敗退之際，保持她的鬥志，繼續鼓舞她的子民。邱吉爾終其一生都在跟他的絕望奮鬥，只有他才知道絕望是可以戰勝的，只有他才能在敦克爾克大撤退之後，仍然有信心英國會打贏。英國也靠著邱吉爾的這個信心熬過倫敦大轟炸，看到了光明。

這本書是我第一次看到有人從正面的觀點看待憂鬱症，只是我覺得邱吉爾、舒曼（Robert Schumann）、牛頓等應該都是躁鬱症（bipolar），舒曼在他躁症發作時，一年有幾十首作品泉湧而出，但是在鬱症時，一首都沒有，我們從他作品的編年紀中可以很清楚的看到這個大起大落，目前已知這個起落跟他發病的時間完全吻合，所以確定舒曼得的是躁鬱症。

其實從書中許多地方作者自己也講到躁症的表現，如「飆起來的時候，精神、精力都飆到最高點，盪下去時，情緒、信心都盪至谷底」，這是躁鬱症最貼切的形容。我們應該用躁鬱症來看待書中的幾位人物，躁症發作時，病人想像力豐富，如萬馬奔騰，大腦裡抑制機制失控，瘋狂點子不斷湧出來，天下沒有辦不到的事，所以有人說天才與瘋子只有一線之隔，這一線就是大腦的抑制機制，也就是我們的理智。

憂鬱症是這個世紀的隱形殺手，套一句柏楊的話，不知有多少人在暗夜哭泣，不敢承認自己是憂鬱症。作者就說，要邱吉爾承認他有憂鬱症，連「門都沒有」。但是他卻在報紙、廣播都在稱讚他，聲望如日中天時，自己說「我的成就極多，到頭來卻一事無成」。這句話是標準的憂鬱症病人的話，作者認為這是邱吉爾童年沒有父母的愛、沒有安全感所造成的結果，一個被父母冷落、被同學拒絕的孩子，就算以後很成功，也無法讓他們相信自己是受人喜愛的，自己的生命是有價值的。這些人終其一生追求權力、征服女人、累積財富，但是到臨終之時，仍然認為自己是失敗的，因為他們內在從來沒有產生自我的價值感，再多的外在成功也彌補不了這種內心的失落。

這一點在很多不同版本的牛頓傳記中也是如是說，牛頓是遺腹子，未出生父親就過世，母親改嫁，繼父不喜歡他。牛頓在外祖母膝下長大，一直到他繼父過世，母親才又回到他身邊。很多傳記作家都認為牛頓的孤傲自大、不合群、猜忌性格，與他童年無父母之愛有關。看到童年對人格的影響，真令我們擔憂，因為社會變遷得很快，現在生活型態轉型，越來越多的孩子是鑰匙兒，回家後只有電視陪伴，沒有大人噓寒問暖。

幸好最近，耶魯大學的考夫曼（Joan Kaufman）教授發表了一份長期追蹤的研究，她發現身上有憂鬱症的危險因子（即遺傳基因，同卵雙胞胎，一個有憂鬱症，另一個也有的機率是百分之四十五，目前的憂鬱症研究在全力追尋並找出這些危險因子）的孩子，雖然先天不良，後天環境也坎坷，但是只要在成長的過程中，有一個大人肯定他的價值，對他伸出援手，這個孩子就不會變成憂鬱症，這真是一份非常振奮人心的報告。

一個毛病若是有遺傳的基因，它就不會很快消失，要經過很多世代才可能被天擇剔除，對於這隻黑狗，醫學的進步可能終於替它套上狗鍊，植入晶片，使它就範了。在尚不能使它消失之前，我們應該了解它，了解才能產生預防方法，使它的出現降至最低。三千年前孫子兵法說知己知彼，百戰百勝，三千年後，我們發現它不但是戰場、商場的圭臬，連醫病關係都如是。

看到書中人物受到這隻黑狗的折磨，不知這暗夜哭聲還要維持多久？精神健康一直是大家不敢面對的一個議題，這本書讓我們了解該來的逃不掉，是該正視精神健康，重視腦科學與行為關係的時候了！（原載於《邱吉爾的黑狗》，推薦）

10 理解，才記得住

中國一向是考試掛帥，政府怎麼考，老師怎麼教，父母怎麼逼。既然考試是背多分，坊間記憶補習班自然是一大堆，雖然收費昂貴，但是仍然趨之若鶩，人滿為患，這是為什麼這本書很重要，我們必須把正確的記憶觀念介紹給大眾。

《記憶的祕密》（*Committed to Memory*）一書作者以深入淺出、詼諧的方式將記憶的本質解釋得非常清楚，讓一般人可以懂大腦的生物化學機制，解釋了為什麼心情愉快時記憶力好，也解釋了編碼和提取的情境一致時，記憶力會比較好。書中舉了很多生活中的例子，教我們如何在最自然的方式下，增進自己的記憶，當然最後的結論是理解，只有理解才記得住。作者引用了暢銷華裔小說

書名：記憶的祕密
作者：Rebecca Rupp
譯者：洪蘭
出版：貓頭鷹

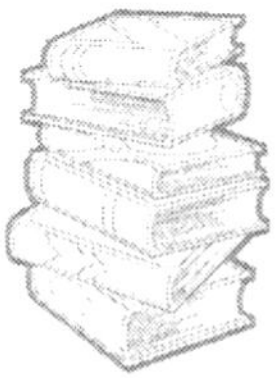

家譚恩美所言：「理解是唯一的方式，我從來記不得我不了解的東西。」但是如果你還是認為不上補習班不安心，本書的第三部分教你現行所有的記憶術，包括補習班所謂的潛能開發、增加你記憶的方法。

但是，二十一世紀的現在，你要替你孩子準備好出社會和別人競爭的絕對不是死記硬背的工夫，而是組織和整理的能力。死記的記憶部分已可交給電腦、記事簿、便條代為處理，你孩子的腦力應該釋放出來作組織和整理，每個企業家都會告訴你，片段沒有串在一起整合的知識是無用的。記憶並不是在接觸到資訊時就自然產生，它必須經過主動的分析、整理與舊有的知識掛上鉤，那個知識才會成為你的。

我們在動物實驗上看到，只有主動的學習才會使神經連接的密度增加，一隻猴子同樣是運動牠的食指和中指，假如牠是主動的用這兩根手指頭撥一個輪子使食物掉下來，大腦皮質對應這兩根手指頭的區塊會變大，表示處理這兩根手指的神經增加了；但是如果牠是為了告訴實驗者牠耳朵聽到的是高或低頻率的音而按鍵運動牠的手指，被動的動，則大腦皮質的區塊不會變大。這個實驗在老鼠身上重做也得到同樣的結果，尤其老鼠的腦在解剖後明確的顯示出神經連接密度上的不同。因此我們知道有效的學習必須是主動的才行。

達文西說：「如同強迫餵食會損害健康，不為喜愛而學習也會損害記憶，而且這樣吸收進來的知識不會被保留。」目前已有很多的實驗證明被動學習的知識不會被保留，孔子說「學而不思則罔」，這句話目前在大腦中已得到支持。這本書帶來很多最新的腦與學習關係，所謂工欲善其事必先利其器，我們必須知道自己的記憶是如何運作的，才能事半功倍。了解到這一點，記憶補習班不必去上，把時間花在如何增加孩子學習的動機比較有實效。

我翻譯過二十幾本書，沒有一本像這本這麼有趣，讓你一邊工作一邊笑。我很佩服作者的博聞強記，她引用很多名人的話，都是恰到好處，有畫龍點睛之妙。比方說，我們都知道記憶是個重新建構的歷程，謊話說一百遍就成真話，但是作者引用馬克・吐溫的話：「我能夠記得這麼多事並沒有什麼了不起，了不起的是我能記得那麼多沒有發生過的事。」立刻讓我們看到記憶的本質，這是這本書最吸引我的地方。

記憶是你成為你最重要的一個因素，絕對值得你投資時間與金錢去了解它。（原載於《記憶的祕密》，譯序）

11 洞悉人性才能不再重蹈覆轍

書名：電醒世界的人
作者：Thomas Blass
譯者：黃澤洋
出版：遠流

史坦利・米爾格蘭（Stanley Milgram）是我最欽佩的心理學家，他的服從權威實驗是我放棄法律轉入心理學最主要的原因。我第一次讀到他的實驗是在法學院念大三的時候，我震驚他的實驗直搗黃龍，問了一個心理學最基本的問題：人性究竟是本善還是本惡？一個正常的人為什麼會做出匪夷所思的惡行？他的實驗說明了「邪惡的平凡性」：罪大惡極的納粹頭子艾克曼（Adolf Eichmann）竟然是一個彬彬有禮、說話溫和的人；區區一個納粹黨竟可以讓六百萬猶太人死於煤氣室。

我出生於二次大戰之後，一直對小小一個日本可以席捲比它大幾十倍的中國，中國人甘願做日本走狗、屠殺自己同胞不能了解；曾經有三十個日本兵在山西命令三百個中國人挖好自己的墳墓，然後用刺刀將他們一個個殺掉並推入坑中，中國人為什麼不反抗？三百對三十，勝算機率應該很大，他們為什麼不反抗？這些問題在看到米爾格蘭的研究後終於了解。

在一個充滿威脅的競爭社會中生存，如果加入一個權威主導的社會團體，成為它的一份子對個人是有利的。當納粹黨形成氣候之後，綁上黑色納粹臂章會使人為所欲為、做出他本來不敢做的事，老百姓只能噤若寒蟬，退避三舍，這會助長納粹黨的氣焰，而使一般人更希望加入這個團體。服從的傾向就是這種社會組織的產物，我們在黑道和幫派組織中也可以看到，只是我們從來沒有想過演化中的求生存本能，已將這種服從權威傾向內化成人類本性的一部分。

米爾格蘭認為人進入一個團體組織時，他必須把自己內在的控制權交給團體的領導人，不然這個組織不能良好運作。一旦這個人接受了這個權威的合法性，他就會接受這個權威對情境的解釋。一個權威的人說某人必須接受懲罰，只要自己是這個權威的代理人，他就會執行這個權威給他的指令，他不再關心這個行為是否可以接受，他已將判斷和責任都交給了權威者，這就是為什麼米爾格蘭的實驗中，有百分之六十五的人能將電擊開關一路按到四五〇伏特而不

手軟。在實驗之前，所有人都以為只有百分之一或百分之二的人會這麼殘忍，完全沒有想到「沉默的共犯」的毀滅性。

米爾格蘭的實驗讓我這個讀法律的人大開眼界，我驚訝一個模糊不可測量的人性，可以用實驗這麼漂亮的顯示出來，也驚訝科學的文章可以寫得這麼行雲流水，完全不生硬艱澀；更重要的是我看到了實驗心理學家存在的價值，一個實驗可以設計得這麼美妙。

在這方面米爾格蘭真是大天才！他深刻了解人性，懂得讓人們自己得出結論是最有力的說服方式，例如他告訴受試者實驗一次需要七個人，所以務必準時，不要讓別人等，當受試者到達實驗室時，實驗者請他把外套脫掉，放在長板凳上，受試者看到上面已有六件外套堆著，就覺得自己是最後到達的人，罪惡感會使他立即進入實驗室的小隔間做實驗，不會去看其他六個人到底是誰。

這個實驗的重點是根本就沒有其他人，那個受試者是唯一真正的受試者，但是他會受到自己眼睛看見六件外套的推論的影響，以為真的有六個同學在其他的小隔間中做跟他一模一樣的實驗。這個實驗的成敗在受試者對別人反應的判斷，米爾格蘭成功的操弄這一點，得到漂亮的結果。

事實上他的實驗都做得乾淨俐落，令人讚嘆。像這種例子不勝枚舉。教人感嘆的是這麼好的一位科學家，因為「權威的服從」這個實驗的爭議性，使他一輩子沒有得到應有的榮耀：因為這個實驗，哈佛大學沒有通過他的升等要求，雖然他當時已是最有名的社會心理學家，還是未能留在哈佛教書，這是他一生最大的遺憾。美國心理學會也從來沒有給過他任何獎，他申請研究經費一再的遭到拒絕。

然而，他卻是二十世紀最卓越的心理學家之一，他的研究過了五十年，仍然在所有心理學的教科書中出現，到今天還沒有任何一個實驗可以取代它。

米爾格蘭的鬱鬱不得志可能是他英年早逝的原因之一，他五十一歲就因心臟病過世；但他短短五十年生命卻是異常的精采，他的影響力我們到現在還不停的在生活中看到，例如他說別人的咖啡打翻是笨手笨腳，自己的咖啡打翻是咖啡太燙，這種嚴以責人、寬以待己的現象，我們不是每天在政壇上看到嗎？

他的服從實驗中，有一個情境是真正的受試者只負責唸配對字的單子，按電擊開關（懲罰答錯的學習者）的責任是由另一個受試者執行（其實這是研究生假扮的受試者），結果四十位受試者中就有三十七人（百分之九十三）一路做到最後的四五〇伏特。米爾格蘭說，任何一個毀滅性行動都可以透過人事安排執行，只要決策者與實際殘酷行為保持距離，他們便不覺自己對此殘酷行為有任何責任，因為動手的不是他們。

這不就是天災過後政府高官坐在冷氣房中下令封山的版本嗎？他們完全不考慮到人民有「行」的權利，山上還有學生需要下山唸書，還有生長了一半的高麗菜尚未採收，封了山只好爛在田裡。那一年許多學生交不出學費，許多家庭被債逼得自殺，冷氣房中一個決策，枉死城中多出許多燒炭、跳樓的人。

米爾格蘭的研究是念心理學、社會學、政治學的人都該知曉的，法律系的人更該讀，因為法官筆下判生死的正是「人」，當然不可不知人性本質。米爾格蘭透過實驗的方式，將不可言喻的社會運作規範的因果關係清楚呈現出來，從事社會科學研究的人，怎麼可能不讀《電醒世界的人——米爾格蘭突破社會心理學疆界的經典研究與傳奇人生》（*The Man Who Shocked the World*）這本書！

我花了很大力氣審訂這本書，修改裡面的文詞，增加它的可讀性，最主要是這本書在現在這個亂世，有暮鼓晨鐘的作用。只有了解人性，二次世界大戰納粹的滅種屠殺才不會再現。（原載於《電醒世界的人》，審訂者序）

12 基因是食譜

腦科學最近非常熱門，坊間有許多有關大腦的書出版：學工的想做出真正有智慧的機器人；學醫的想知道大腦的功能，為什麼腦死、心臟還好好的，人就死了；學教育的想從大腦的發展研發出一套配合生理狀態的教學方法；當然最熱中於腦科學研究的就是認知神經科學家了，我們想知道造物者如何從三萬個基因中建構出這麼複雜的人腦出來，這個人腦發明了電腦，創造了各種文明，還把人類送上月球，但是這個這麼聰明的腦，為什麼不能了解自己是什麼？

當我們在醫院中看到剛出生的小嬰兒時，實在很難想像他們以後可能是愛因斯坦、史懷哲或邱吉爾，因為他們是如此的無助。但是在短短的二十年間，他們長成了造福人類的偉人。除了感嘆造物者的神奇外，也難怪從古到今，所

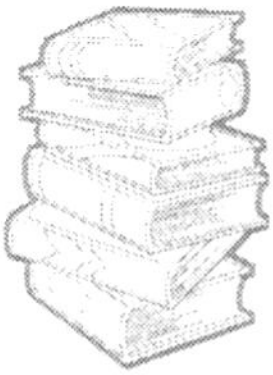

書名：基因，挑戰不可能的任務
作者：Gary Marcus
譯者：楊玉齡
出版：久周

有的哲學家都對人類的心智著迷，想盡各種方法要破解它了。

過去，人工智慧學者都把人腦比喻成電腦，想從模擬人腦的功能解開這個謎，但是經過三十年的努力，他們失敗了。從模擬人腦上，他們製造出非常厲害的電腦，如深藍，可以跟人類下棋，還可以勝過人類；但是電腦仍然不是人腦，人在半秒之內可以接到的高飛球，電腦要一千個程式才模擬得完，最主要的是電腦有記憶力但是缺乏應變力（這一點台灣的父母到現在還不覺醒，仍然逼迫孩子背誦死記，殊不知，人腦如何背，背不過電腦，人腦的長處在隨機應變上，一個會思考、會應變的孩子，將來才有能力跟機器分庭抗禮，如果只是兩腳書櫃，他將來會被機器取代，因為電腦背得比他準確多了）。

如果人腦不是電腦，那麼它是什麼呢？

許多認知神經科學家都致力於解開心智這個「石中劍」謎，《基因，挑戰不可能的任務》（*The Birth of the Mind*）一書作者蓋瑞・馬可思（Gary Marcus）就是其中的佼佼者，他才二十三歲就從麻省理工學院拿到博士學位，是一般人所謂的「天才」，他的表現也的確不凡，年紀輕輕就在這個領域嶄露頭角。

從本書中，你可以看到國外對人才的培育非常注重廣度，本書作者的演化知識很豐富，他讀了很多人類學方面的書，所以可以從腦的歷史看腦的未來。這一點是我現在非常感嘆的，因為台灣社會急功近利，學生都不耐煩去讀過去的歷史，都認為那是死人的東西，殊不知孔子說的：「不知生焉知死？」不知過去，怎知未來？一個以理工聞名的麻省理工學院他們的學生有這樣的背景知識真是令我們羨慕，實在應該起而效法。

本書跟坊間其他書最大的不同是在於：作者認為基因不是藍圖而是食譜，因為大腦的發展並非事先標明每個轉彎、每條路線，而是像食譜一樣，標出材料、分量，中間的製作過程可以有彈性。後天的經驗可以改善神經的連接，這就是大腦的可塑性，也是教育可以著力的地方。作者強調「經驗可以改變基因的表現」，這對很多父母是個鼓舞，教養孩子永遠不嫌太遲。藍圖在建築物完成後，便束諸高閣，但是基因最重要的作用在賦予我們學習的能力，以應付外界不斷改變的環境，這個能力使我們生存到現在。

看完這本書後，你會對區區三萬個基因能夠建構出這麼複雜的大腦有所了解，最主要的，你不會再說基因是大腦的藍圖，而會好好做個廚師，用天賦的三萬個基因做出一頓美食來。（原載於《基因，挑戰不可能的任務》，推薦）

13 做你所愛，愛你所做

書名：創智慧
作者：Jeff Hawkins & Sandra Blakeslee
譯者：洪蘭
出版：遠流

腦是令很多人著迷的一個器官，它只有三磅重，卻主宰了我們三百磅重的身體！幾千年來，哲學家、科學家都在追求它，想揭開這個神祕的面紗，到現在人類都上了月球，我們還是不知道大腦是怎麼運作的。這也難怪一九六二年諾貝爾獎得主法蘭西斯・克里克（Francis Crick）在登上DNA的極峰後，改行投入腦科學，跌破很多人的眼鏡。

人如果不知道大腦是怎麼運作的，怎麼可能知道「自我」是什麼？不知道「自我」，又怎麼可能知道「別人」？這是一個非常基本的問題，但是始終沒有一本理想的書做通盤的討論。大部分有關大腦的書都是神經科學家所寫，比較偏向神經結構，一般人會覺得侯門深似海，即使想，進不了夫子之門，也就窺不了裡面的寶藏。《創智慧——理解人腦運作，打造智慧機器》（*On Intelligence*）這本書特殊的地方，在於它是由電腦科學家所寫的，可是打著紅旗反紅旗，講的卻不是人工智慧那一套，這是第一個引起我好奇的地方。

第二個引起我好奇的是竟然有兩位一般不替人推薦任何東西的諾貝爾獎得主，替他寫推薦文：詹姆士・華生（James D. Watson）因為年紀輕輕就拿到諾貝爾獎，少年得志，不免目空一切，在學術界人緣不是很好，通常文章到他手上，不管老的、少的，統統批評得一文不值，因此很少人敢找他推薦，本書是奇葩。而艾瑞克・肯戴爾（Eric R. Kandel）則是年事已高，八十多歲的老人，風燭殘年，別人不敢麻煩他，每次他演講，大廳都擠滿了人，大家都以為這是最後一次聽他演說。因此本書得到兩個平時不推薦的人的推薦，不免令人好奇它是有何德何能，竟獲青睞。

一讀之下，發現書中內容原創性非常高，從完全不同的角度來看大腦的運作，跳脫了窠臼，令人耳目一新。再回頭去看作者是誰，才發現他原來是 PalmPilot 的發明者，我用了它很多年，竟然不知道玩電腦的人居然對大腦也會有興趣。

傑夫・霍金斯（Jeff Hawkins）也是少年得志，發明的幾樣東西都很賺錢，但是他沒有像一般人賺到錢便去買古堡、遊艇，或是追求感官的享受，他把賺來的錢在加州北部成立紅木神經科學院，請了一些加州大學柏克萊和戴維斯校區的教授開始研究大腦的功能，他說他一生的志向，就是要建構出一部真正有智慧的機器。

看到他的豪語，我非常感動。每個人小時候都有很大的志向，但是很少人完成它，我小時候看到電影中的機器人也曾動過這個心，要去發明打不還手、罵不還口，要它幹什麼就幹什麼的機器人，寫作文「我的志願」時，寫的都是要作發明家、科學家，增產報國。但是年紀一長就知道，這個工作不是這麼簡單，壯志就消沉了，現在看到有人可以一心一意追逐童年的夢想，真是很感動，也難怪成功的第一個條件是毅力，只有鍥而不捨才會成功。

本書的可讀性非常高，真的是如肯戴爾所說的，應該是大學生的指定讀物。在書中，我也看到工程師和科學家的不同，工程師講究動手做，比較符合我的個性，因此，利用年假便一口氣把它翻譯出來，希望能提昇台灣對認知科學的注意，最重要的還是作者對事情的看法，有很多值得我們借鏡的地方。他說要建構真正的智慧機器，必須先知道智慧是什麼，這一點就讓我們汗顏，在台灣有多少人在自己的領域混了一輩子，卻不知道這個領域是幹什麼的？

心理學上對智慧的定義是有預測的能力，有智慧的人能夠未雨綢繆，防患於未然，這一點是大家沒有爭議的；但大腦如何作出預測就是本書的精華，也是人工智慧失敗的地方。智慧不是靠人家教，而是自己頓悟，自己透過經驗累積出來的應變之道。要累積必須有記憶，肯戴爾就是因為研究記憶拿到二〇〇〇年諾貝爾生醫獎。霍金斯看到記憶與預測的關係是神經科學一大突破，也是他認為他的理論應該可以促使真正的智慧機器出現的原因。中國人也說「前事不忘，後事之師」，沒有記憶就不可能累積經驗，沒有經驗就作不出預測，也就沒有智慧了。

這本書條理清楚，立論大膽，不過證據並不是很充足，作者說他自己是工程師不是實驗者，所以他拋出理論假設及看法，需要後輩去完成它。在任何一個領域，理論最重要，理論是明燈，指引方向，沒有理論的研究是「釣魚」（fishing data）是碰運氣，看能不能逮到一條大的。

我們台灣最缺的便是理論架構的指引，這本書或許可以給國人一些正確的觀念，當國科會、教育部都在追求SCI指標時，或許應該先停下來想一想，質量一定要並重。在政府極力追求量的政策下，我們已經看到把同一個實驗拆成三個，投到三個不同期刊發表，期刊點數低（點數代表期刊地位）沒關係，聚沙成塔，積腋成裘，因為我們最後看的是總分。

想到這裡，不禁很羨慕作者，他能夠自由自在的追求真正重要的問題，浸淫在腦科學中，享受作研究的快樂，沒有研究經費的問題，也沒有「上級單位」在背後指揮你應該做什麼題目。因此，看完書最後的結論是年輕人要努力賺錢，像霍金斯一樣，用自己的錢做研究，沒有大老闆盯著，就快樂似神仙了。其實做到這一步也就做到了智慧的人生。

霍金斯是個有智慧的人，預期在他手上能做出智慧的機器，我們的年輕人，典範在這裡，有為者亦若是！（原載於《創智慧》，譯序）

14 一個有志者事竟成的故事

翻譯，最大的受惠者是自己，因為看書的時候可以不求甚解，翻譯時必須換成自己的話說出來，只好深究，所以翻譯受惠最多的是自己；最辛苦的是我的手，因為不會打字，每個字都得一筆一畫的寫，常寫到手指僵硬，暗罵倉頡造字太複雜，寫也寫不完；最可憐的是我的家人，我坐上桌子開始工作後便不理家事，家中時常斷炊，先生、兒子常得自求多福。

我非常感謝替我做饅頭兼「宅急便」替我送菜來的朋友，感謝她們減少我做家事的時間，使我在繁忙的教學、研究、開會公務之餘，得以翻譯一些我認為重要的書，回饋社會。也因為感到她們的厚望，使我不敢怠惰，不論寒暑，早上一定爬起來寫完三千字才敢離家去上班。

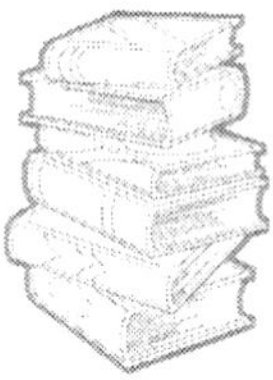

書名：喚醒冰凍人
作者：J. William Langston & Jon Palfreman
譯者：洪蘭
出版：遠流

《喚醒冰凍人——解開帕金森症之謎的鑰匙，竟然藏在假毒品受害者腦中》（*The Case of the Frozen Addicts*）這本書，是我在舊金山的舊書店找到的，雖然出版時間是一九九五年，但是裡面的故事沒有時效性，它讓年輕的學子看到科學沒有一蹴而就的事，每一步的進展都是前人的血汗。這本書的故事對年輕人是一個很好的啟發，人不可安於現狀，必須去追求心中真正想做的事，人生才沒有虛度，縱然追尋夢想可能代表著放棄穩定的醫生收入，本書的作者還是義無反顧的做了。

在現在這個價值觀錯亂的社會，我們必須讓孩子知道人生不只是溫飽而已，頸子以上、兩耳之間的東西才是值得追求的，酒肉只是穿腸過，世間的榮華富貴不過是過眼煙雲，不應該太看重，更不應該為此而犧牲自己的人格。

二〇〇五年暑假與兩位好友同去湖南長沙探訪清末名臣曾國藩之墓，在荒山蔓草堆中尋尋覓覓，終於看到一座墳，上面寫著「大學士曾文正公、一品夫人歐陽氏之墓」，心中非常感慨，一代名臣不過如此。真是應了《紅樓夢》上說的「縱有千年鐵門檻，終須一個土饅頭」。可歎大部分人參不透這一點，還在只顧眼前，不管身後。所以回台灣後更加努力從學習的基本態度做起，大力推展閱讀，讓孩子們從書中潛移默化，從先聖先賢中找到正確的模仿對象。

如果再放任孩子看電視，他們會誤以為口出黃腔的立法委員、貪贓枉法的高官或行為不檢的演藝人員才是他們要效法的對象。梁啟超在長沙嶽麓書院大門題了一個院訓「立志」，年輕人不立志會一生無所成，而立志必須有楷模，這本書裡的許多人物都可以做年輕人的楷模，因為它表達了一個「有志者事竟成」的故事。

一九八二年夏，舊金山灣區以南一直到聖荷西的各家醫院中，突然出現一群身不會動、口不能言的年輕人，他們是僵住了的活死人。醫生都不知道該怎麼辦，便把他們送往精神科，認為他們是僵直型精神分裂症。因為精神分裂症不會突如其來沒有任何前兆的發作，所以神經科的蘭斯頓醫師認為這個診斷有問題，便把這些精神科的病人接過來神經科觀察，因為看到這些症狀與嚴重的帕金森症很相似，所以就給了左旋多巴之藥，想不到這些人竟然甦醒過來，後來才知道這些年輕人是因為吸毒，注射了不純的化學合成海洛英使產生多巴胺的神經元中毒死亡，才變成這樣。

這個案子開啟了帕金森症研究的新方向，因為過去找不到帕金森症的動物模式，使研究滯礙無進展，一旦知道有化學物質可以只殺死多巴胺神經元而不傷害其他的大腦細胞時，就找到了帕金森症的動物模式，可以測試新的藥物及新的治療法，使科學上對帕金森症的研究得以進展，最後導致胚胎細胞移植的手術，成功的替這些患者找回生命的第二春。

在這過程中，我們看到學術界的勾心鬥角，也看到偏見愚昧對科學的傷害，更看到一件事情的成功背後是無數人的犧牲，真是「一將功成萬骨枯」。布希政權的跋扈無知，推翻了胚胎移植委員會的建議，悍然的頒下禁止聯邦政府經費用在胚胎細胞移植的研究上的禁令，使美國在這一方面落後瑞典至少十年。雖然委員會已說明使用墮胎的胚胎做研究並不會增加墮胎的機率（因為沒有人會願意為科學而犧牲腹內的胎兒），但是布希政權仍然蠻橫的採用這個理由，禁止了科學的研究，也讓幾百萬名帕金森患者落入絕望的深淵。上焉者變賣家產去墨西哥、瑞典求醫，下焉者只有等死。

其實墮胎的減少必須從教育上、從觀念上著手才會有成效。當我們成功的教育孩子尊重生命、重視自己時，我們便是釜底抽薪的杜絕墮胎，就像我們成功的教育國民水土保持時，我們便可以杜絕土石流，封山只會斷了弱勢者的生機。

這本書描寫的是帕金森症治療法出現轉機的故事，它的關鍵點在某一個黑心的毒販，製造了一批不潔的海洛英，害死很多年輕人；但是這個悲劇也為帕金森症患者打開了一條生路，使得胚胎細胞移植手術得以出現。

人生事很難預料，這個黑心毒販竟然是個相貌溫和的律師，他就是諸葛亮所說的「有溫良而為盜者，有外恭而內欺者，有外勇而內怯者，有盡力而不忠者」。那些做惡事者，頭上又何嘗有「壞人」兩字來警告我們呢？這是為什麼學生必須多讀書，從書中得知世態炎涼、世道坎坷，才不會誤入歧途，受騙受害。

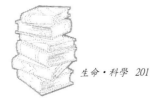

帕金森症有體質（基因）和環境上的原因，書中讓我們看到一位有遠見的醫師，說服國防部把二次世界大戰時士兵的資料釋出來給學術界使用，使得學者手上有一筆兩萬名雙胞胎的資料可以算出帕金森症的遺傳率。那些當年年輕英俊的士兵，現已垂垂老矣，在這筆資料中，研究者看到雙胞胎中一個有另外一個也會有的機率，因而找到基因上的可能性。如果不是當年的遠見，帕金森症的發病時間是六、七十歲左右，沒有科學家可以活這麼長，現在播種，五十年以後才收成。

只可惜在任何社會中，有遠見者通常是生前寂寞，死後才會被人追念，因為他總是跑在時代的前面，當時的人不了解或感謝他，反而把他丟進監獄或燒死在火柱上。看到歷史一直在重蹈覆轍，很感慨，不知道什麼時候教育才能使人眼睛放大，眼光放遠？

對帕金森症，我們現在最擔心的是環境因素，因為化學劑、殺蟲劑的濫用，已使我們對喝的水、買的食物沒有信心。報載珍珠奶茶中的粉圓有百分之三十添加了防腐劑，我有個同事看了報跳起來，因為他的孩子從小愛喝珍珠奶茶，看到他著急的樣子，我了解為何台灣人處變不驚，因為太多事情不是控制在自己手上，如果每天驚，日子就過不下去了，也難怪現在的社會會走向「今朝有酒今朝醉」的靡爛，因為實在不能確定明天會怎樣。

過去我們相信土地，「有土斯有財」；現在動不動地震，走山，地不可靠了。過去法令如山，政府有威信；現在朝令夕改，一日三變，連白紙黑字的事都能生變，人民對政府也沒有信心。當一個人對自然環境、政府、日常生活吃的喝的住的都不可信的時候，我們就看到台灣現在的急功近利不在乎禍延子孫的怪象了。這一切只有從回歸根本做起，台灣才有希望。

本書的結尾，蘭斯頓執著康妮的手說「歡迎回到人間」，我多麼希望我們也能夠坦然的對剛出生的嬰兒說：「歡迎來到人間」，這一切需要我們大家一起努力。希望這本書能讓讀者看到：未來永遠建立在自己一步一腳印的努力上，成功是沒有捷徑的。（原載於《喚醒冰凍人》，譯序）

15 科學簡單化，國民科學化

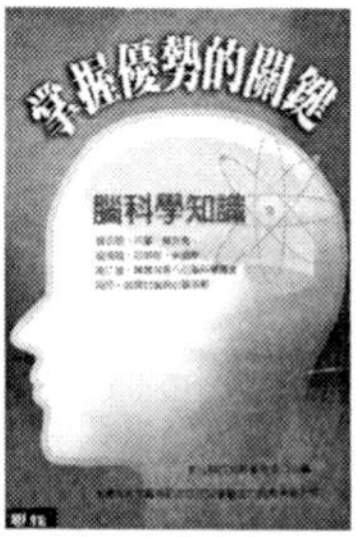

書名：掌握優勢的關鍵
作者：東元教科文教基金會主編
出版：聯經

人身體的各個器官都很重要，但是沒有一個器官像大腦一樣，失去它你就不再是你了；很不幸的，大腦也是一般人誤解最深的一個器官。殺人魔王陳進興在伏法前，曾把他的器官捐出來，但是一位等待肺臟移植的婦人卻堅決不肯要陳進興的肺，因為「狼心狗肺」——她害怕陳進興的基因會因此進入她的體內、使她變壞。儘管醫生一再解說，她仍然執意不允，最後因為等不到可用的肺臟而死，由此可見大眾對正確科學知識的缺乏。

東元科技文教基金會有感於腦科學在二十一世紀的重要性，因此邀請國內著名學者就他們的專長領域，為一般大眾撰寫基本的腦科學知識，作一個入門的觀念介紹，這就是《掌握優勢的關鍵》這本書的由來。

人的腦中有一千億那麼多的神經元，是地球人口總數的二十倍，胎兒在子宮裡一分鐘可生長二十五萬個神經細胞，所以我們不必擔心神經細胞不夠用，該擔心的是該怎麼用它。大腦功能的一個主要原則是神經訊號並不是由訊號本身決定的，而是由訊號在大腦中所走的通路決定。大腦依通路來解釋和分析傳進來的電訊，一個刺激經由聽神經傳送進來就會被解釋為聲音，被視神經傳送進來就會被解釋為影像，這是因為不論外界什麼樣的刺激，進入大腦後都轉換成電波在神經迴路上奔跑，就好像無論是哪一國的旅客，進入台灣必須將錢兌換成新台幣才能在台灣生活，台灣的人只接受新台幣，不管它是由哪種貨幣換來的。

因此神經迴路的聯結就變得很重要，目前對智慧的定義是神經網絡連接的密度。閱讀、常動腦思考可以增加神經連接的密度，所以全世界現在都在推廣閱讀運動，因為大腦退化的慢性疾病耗掉極大的社會成本。

所有人類都有共同的大腦結構，基因藍圖指示大腦哪個部位應該與哪個相連接，以及在同一個部位中神經元組彼此的連接，這一部分是演化來的，所以只要是人類都相同。但是細節部分就各不相同了，每個人突觸連接的形態和強弱會依個人過去經驗而有所不同，所以後天的經驗跟先天的結構一樣重要。

現在科學家已知道笛卡兒的心物二元論是錯誤的，大腦結構會決定行為，行為反過來也可以修正大腦的結構，經驗可以改變大腦化學；也就是說，經驗可以影響神經系統中荷爾蒙的分泌，因此治療憂鬱症等精神疾病必須雙管齊下——藥物和認知治療法並進，才會奏效。本書有一專章特別介紹憂鬱症這個世紀的隱形殺手。

這本書跟市面上其他同類的出版品不一樣的地方在於撰寫者均為大學教授，沒有利益的衝突，所引用的文獻都有實驗數據的支持，並且從腦科學的歷史講起，讓讀者看到萬物都是其來有自。任何一門科學它的任務都是承先啟後，看到現在年輕人不讀史，其實很令人憂心，因為不知史會重蹈覆轍、重犯古人犯過的錯誤。讀者也可以從朱迺欣醫師所寫的腦科學史中知道現在流行的皮紋檢測、摸骨看相其實以前都流行過，但是都被科學淘汰了，我們不應該再相信沒有科學根據的江湖術士之言。

謝仁俊醫師的腦科學新知〈人腦科學新紀元：功能性腦造影及腦圖技術〉，介紹的是最先進的功能性核磁共振（fMRI）及腦磁圖儀（MEG）等技術對大腦了解的貢獻。這部分的知識一般人不易接觸到，謝醫師以深入淺出的方式將它闡述得很清楚。現在台灣各大醫院都陸續添購了fMRI和MEG，病人看病時，若對診斷的儀器有所了解，可以減輕焦慮，知道自己為什麼要做這個檢查，以及這個檢查又可提供自己哪些診斷資訊，最重要的當然是如賴其萬醫師說的，它可以增進我們的腦知識。

賴醫生所說的社會隱憂，存在於我們所有執筆者的心中，他語重心長的指出對腦科學知識的不足，會使我們付出沉重的社會成本，因此胡海國醫生建議成立腦科學博物館以彌補國人這一方面的不足。這個博物館的重要性不證自明，只可惜政府看不到推廣全民腦科學知識的重要性，不肯把預算花在防患於未然。每年我看到跨年晚會、燈會等大型嘉年華所花掉的幾百萬公帑，就覺得扼腕嘆息，為什麼明知「知識就是力量」，卻不願投資在教育國民身上！任何嘉年華或造勢晚會帶給人們的樂趣都是曇花一現，只有心智與體魄的健康才是永久的快樂。

另外，兩位年輕的後起之秀，白明奇醫生及陳景宗博士，介紹了記憶的功能和上癮的祕密。記憶是你之所以成為你最主要的機制，在升學主義盛行的台灣，正確的記憶運作知識可以幫助父母及考生面對考試的壓力，使學習事半功倍。過去國人對上癮有嚴重的誤解，以為是這個人意志不堅定；現在我們知道其中有大腦的原因，易上癮的人就不應讓他接觸該類刺激。

二十世紀初，晏陽初博士曾經提倡「科學簡單化，農民科學化」。這句話說得很好，只要改一個字便可用在二十一世紀，「科學簡單化，國民科學化」。所有的科學都與我們日常生活有關，與我們最有切身關係的就是腦科學了，期待這本書能為初探腦科學領域的讀者提供正確的入門知識，使我們對自己行為的發生有進一步的了解。（原載於《掌握優勢的關鍵》，序）

16 當代知識分子必讀的一本書

馬丁・葛登能（Martin Gardner）的大名相信很多人都不陌生，尤其是科學界的人，他曾在美國最有權威的科普雜誌《科學人》（*Scientific American*）寫專欄長達二十年，直到退休為止，但他退休後仍然繼續不斷寫作，二〇〇三年還有一本新書問市。一個九十歲的老人還能如此勤勉好學，真令我們這些後生小輩汗顏。

他一生對打擊偽科學不遺餘力，《愛迪生，你被騙了！》（*Did Adam and Eve Have Navels?*）這本書，就是這些努力的結果。他常寫信給廣告中宣稱「某某教授實驗發現」或「某某教授公開宣布」的這些可憐教授，讓他們「嚇出一身冷汗」，立刻跳出來澄清實驗結果不是這樣解釋，或所謂的「公開宣布」只是對

書名：愛迪生，你被騙了！
作者：Martin Gardner
譯者：李永蕙
出版：左岸文化

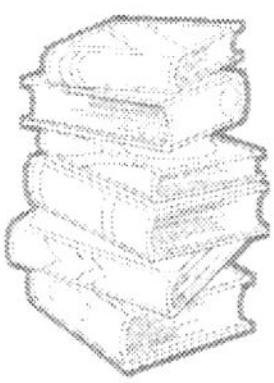

外演講而已。他這樣做並不是尋教授的開心，而是這是最有力的戳破廣告謊言的方法。

相信讀者看到這裡會會心的微笑，我們台灣不也是這樣搞的嗎？許多名教授糊里糊塗就被掛上某仙丹的代言人了。不過我們台灣缺少像本書作者這樣有勇氣、有正義感的人。誠如他所說，我們無法使別人不去騙錢，但是我們可以努力教育人民使他們不被騙上當。看到台灣騙子那麼多，詐欺案無數，真覺得這本書要快快出版，讓國人看看該怎麼訓練自己的科學辯證精神，不被奸商、政客牽著鼻子走。

書中有許多例子是早年我在美國時發生的，讀起來很有親切感，也有很多是我知道它還會一再發生，讀起來有憂慮感，例如天堂之門集體自殺事件。因為這個事件反映出來的是現代人心靈的空虛無著落，這些人對很多宗教感到幻滅，又渴望有人來告訴他們該相信什麼，該做什麼。這種渴望是許多知識分子加入「cult」（因相同信仰而聚在一起的人）的最主要原因，以為在那裡可以找到同胞愛、手足愛、或是自己童年所缺乏的父母愛。但是這些人都錯了，愛不能從外面找，它必須是自內心而出，不然別人就是給你愛，你也感受不出。最近剛過西洋情人節，看到報紙上商人的炒作方式，又不知有多少人會因為他的情人表現不力而難過。

其實真正的愛是不掛在嘴邊的（這也是我對每天高喊「我愛台灣」的人的懷疑），我擔心感情商業化後更會造成這一代年輕人的空虛，而給像天堂之門教主這類人一個可乘之機。書中對這兩個教主的分析非常精確，精神病學中的確有insanity of the two 這個現象，當兩個精神不正常的人住在一起時，他們會彼此強化對方的妄想，兩個人的力量加在一起，這個妄想就會像滾雪球似的一發不可收拾了。

人類的盲從和對順從（conformity，與別人一致）的需求不知造出多少悲劇，心理學家發現當一個人站在紐約街頭抬頭向天空看時，跟著做的人不多；但是當五個人一起抬頭看天時，馬上就有一堆路人努力在天空搜索。這個人性本質是我在看完全書後最憂心的地方，我想這也是作者為什麼一直到九十歲仍然孜孜不倦著書、鍥而不捨地努力打破偽科學迷思的原因。

心理學界至今無人研究為什麼一個錯誤的資訊比正確的更容易進入老百姓的心田中，而且立刻就生根，拔除不掉，甚至開花結果。即使有人一再指出來這是錯誤的迷思，都很難動撼它半分。台灣一直在流行潛能開發、右腦開發、皮紋學（指紋算命），雖然有很多人出來指正，業者依然生意興隆。天堂之門這個集體自殺案使美國很多教育學家回頭檢討生命教育的課程，也使心理學重新思考人的理性。

本書另外很有意思的一章就是愛迪生對於超能力的信仰。大家都以為發明家一定是很有理性的，所以對愛迪生會相信靈魂不滅、超能力感到驚訝。我在美國念書時聽到老師談論愛迪生的口氣，並不是像我們小時候認為他是發明之神那種尊敬，覺得很不解，現在看了本書才知道他在做人的層次上不很崇高。愛迪生並沒有讀什麼書（這裡的讀書不是指專業科目，而是一般性的人文素養），而且是在成功了，有錢了，可以讀書時，也沒有讀書。他沒有什麼在人生境界上可以開導他的好朋友，也不曾跟當代的大師交往，學習別人的長處，所以很多人稱他為發明「匠」。

我想起立法委員蔡啟芳在罵老師王八蛋時，很自傲的說「因為他沒有讀書所以才有獨立思考的能力」，這句話是全錯了。沒有讀書是不會思考的，一個沒有讀書的人思考的層次是無法提昇的。

愛迪生很相信魔術師瑞斯，因為他會讀紙條，知道別人在紙條上寫的字，但是上個世紀最偉大的魔術師胡迪尼（H. Hudini）把他的騙術拆穿了，胡迪尼在一九二〇年四月三日寫給《福爾摩斯》的作者柯南道爾爵士的信中指出這是個騙局，只不過瑞斯的手法非常之快，如果不是胡迪尼這種經驗老到的魔術師，旁人是不可能看穿的（這是我第一次讀到這份文件，真佩服作者涉獵之廣，文獻搜尋之齊全）。

一般來說，越聰明的人越自信，認為自己不會被人愚弄，所以一旦被別人指出是騙局時就會大發雷霆。愛迪生寫給揭發瑞斯作假的人的那封信真可笑，讓人看不起他的科學地位，難怪我的老師說他是個匠。倒是胡迪尼的信上提到有位法官，他雖然未識破瑞斯的技巧，但相信那絕不是心電感應術。這位法官有這種智慧真了不起。其實這種戲法人人會變，只是無法像瑞斯那麼快罷了。

在《電醒世界的人》這本書中，心理學大師米爾格蘭說小時時候他曾經跟他弟弟玩過這種把戲，因為他想讓他的同學相信他是來自外太空，有透視別人心靈、知道別人在想什麼的能力。米爾格蘭先把他心中想的數字寫在一張紙條上，塞到瓦罐中，再把罐子藏到床底下，然後叫他的同學集中注意力去想他剛剛所寫的數字，當同學說出數字時，事先躲在床下的弟弟就立刻寫在紙條上，與瓦罐中的字條掉包。因此，這位小朋友就信以為真，以為米爾格蘭真的有超能力。我記得我們的國科會也給過很多錢支持超能力、人體異能之類的研究，這本書真該早點出版。

這本書將社會上流行的許多迷思一一拿出來檢視，將正確的觀念指出來，單憑這一點就功德無量，難怪麻省理工學院的喬姆斯基（Noam Chomsky）說本書作者對知識文化的貢獻是無可比擬的。因為喬姆斯基一向很少稱讚人，因此這句話頗有重量，可供讀者參考。

在這個越來越迷信的世界中，我們實在很需要像作者這種不畏權勢、勇於揭發不實報導與斂財騙局的知識分子。看到台灣現在的知識分子只想明哲保身，一個個噤若寒蟬不敢出來說良心話，就很感嘆，我們太需要邏輯與常識了。作者是芝加哥大學畢業的，芝大一向重視人文素養與通識教育，它所造就出來的學生果然有風範、有骨氣、有知識。

這本書或許有些厚，但是我認為它是當代知識分子必讀的一本書。（原載於《愛迪生，你被騙了！》，推薦序）

5

人文生活

01 給年輕人一扇窗

誰說讀書一定要正襟危坐才能讀得進去？書本一定要寫的艱深難懂才是有學問呢？《五項修練的故事》這套書在滑稽幽默中點出大道理，它的效果比長篇大論的說教還好，因為它生動、有趣，孩子不會排斥，在不知不覺中把道理聽進去了。

在這套書中，我最喜歡《比狼學得快》（*Outlearning the Wolves*）這個故事。狼會吃羊，這是天經地義，所以羊會接受這個事實。因此一些沒有思想的羊就會任由命運安排，逆來順受，認為在劫難逃，不求改變。但是假如你不服輸勇於挑戰，你的命運就可能改變。

這本書告訴我們光是改變做事的方法是不夠的，必須改變觀察和思考的方

【五項修練的故事】系列
作者：David Hutchens
繪者：Bob Gombert
譯者：劉兆岩
出版：天下文化

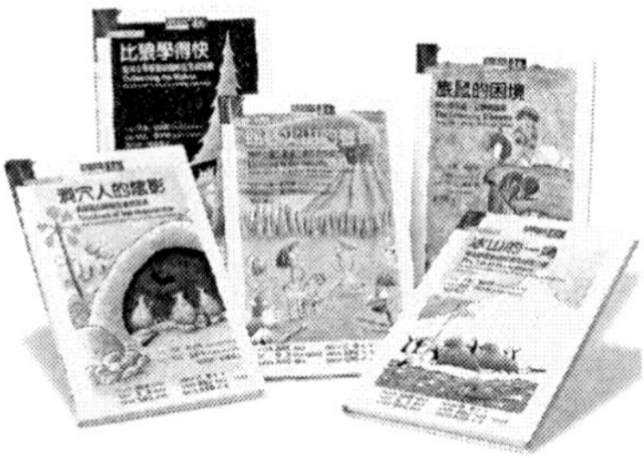

式才有用。所以第一要先設定目標：不要再有羊因狼而死掉；第二挑戰教條，羊一定要被狼吃嗎?第三，蒐集資料，儘量蒐集與狼有關的訊息，彼此分享再集思廣益。福爾摩斯說：「數據，數據，沒有數據的推理是罪惡！」羊蒐集了數據後便發現下雨天羊不會短少，只有晴天狼才吃羊，經過觀察，結果發現天旱無水時狼會從經過河床上的鐵絲網下面鑽進來吃羊，下雨時水流湍急就不會，因此只要把石頭堵住河床那一段的鐵絲網，羊就安全了。

這個故事很生動的教會了孩子科學思考的方式：觀察、假設、求證、解決問題。

《旅鼠的困境》(*The Lemming Dilemma*)也是一樣有大道理，大部分的人習慣盲從，只會人云亦云，只有少部分人會想辦法掙脫傳統的束縛，開創新天地，我們國歌中有一句「毋故步自封」，為什麼國歌要警告全國國民不要故步自封?這句話到我出社會工作後才深深感覺到人們是多麼安於現狀，不求改進，而且自己不做還會阻撓別人做，人往往對企圖改進的人戴上大帽子，例如「四大寇」「敗家子」。也幸好有這些不安於現狀的人，人類文明才得以進步。這本書告訴我們人一定要隨時隨地有勇氣超越自我，生命才有延續的價值。

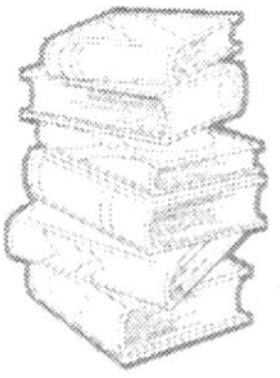

《洞穴人的陰影》（*Shadows of the Neandertha*）就更有意思了，很多人一輩子就像洞穴人一樣不了解自己的無知，因為不知道自己無知，所以對自己很滿意，最糟的是，他們也不許別人有知識，不准出去看，大家都背對著洞口坐，像鴕鳥一樣，頭埋在沙裡，眼不見為淨。只要沒有人唱反調就可以假裝它不存在；如果有人不識相，敢去提，便說他是唱衰台灣，不愛台灣，是中共的同路人，帽子一戴，所有人閉嘴，大家又苟且生活下去，這是多麼可怕的心智模式。

目前社會上不知有多少現象政府都是以這種方式處理，例如，現在國小學生中七個孩子中已經有一個是外籍新娘所生，但是政府至今沒有一套措施可以幫助這些可憐的母子，而且還稱自己國民的媽媽「外籍新娘」，真令人不可思議，這些孩子再過十年就會進入社會，成為我們養老金的提供者。人無遠慮，必有近憂。這本書對沒有世界觀，只想關起門來做皇帝的官員來說，是本必讀的書。

第四本是《冰山的一角》（*The Tip of the Iceberg*），企鵝無法潛水到深海撈蛤蜊，於是引進外勞，請海象幫忙，一開始很好，但是後來人口越來越多，地狹人稠，衝突就產生了，寫備忘錄、訂條約都無濟於事，因為現實的需求大於公民道德的理想。最後，只有借重系統思考，從全新的角度出發，才避免了坐以待斃。

人類的社會是很複雜的，它綿密的網路是牽一髮而動全身，因此，只有承認看似不同的東西會彼此相互影響，才可避免傾軋，只有系統的方式思考時才會周延，問題才得以釐清。系統思考能力應該是國民必備的能力，以台灣目前社會的亂象看來，必須跳出傳統的線性思考，台灣才會有前途。

做過主管的人都知道，溝通是最困難的事情，每個人的背景知識不同，由背景知識所引申的解釋就不同。日本電影《羅生門》就是個很好的例子，同樣一件強暴案，三個目擊者的解釋都不相同。因誤會而產生的藩籬連生死這種大事都穿不透，我一直想找個比喻讓學生了解溝通的本質，今天看到《聆聽火山的聲音》（*Listening to the Volcano*），不禁拍案叫絕，這就是我一直想找的書。

在這個寓言中，住在火山下村莊的人所說的話，會像字一樣出現在空中然後掉下來，當辯論時，話越說越多，字也越堆越高，兩人中間就築起了一道牆，到最後牆比人高，互相望不見，溝通就斷絕了。這道牆築得這麼快，是因為人不太能傾聽別人說話。在心理學上有許多實驗，透過情境的操弄，受試者聽到了實驗者希望他聽到的話，而且信心滿滿，確信他聽到的就是這句話。當實驗完畢，我們把這句話重新播放給受試者聽時，他們都目瞪口呆，不能相信自己怎麼會聽得這麼離譜。因此，念過心理學的都知道「眼見不為真」，我們看到的是後天認知的解釋。

了解到這點之後，人們比較能捐棄成見，虛心聆聽別人說話而產生共識。共識就是兩者之間的橋梁，有了橋，全村的村民就可以平安到達火山威脅不到的安全地帶把問題解決了。在歷史上，危機發生時，一定有主戰派和主和派兩派辯論，我們就看到敵人尚未打來，自己內部就分裂了，最後生靈塗炭國家滅亡。如果萬眾一心，像這本書最後結尾一樣，有了橋，還有什麼地方到達不了呢？

這是一個寓意很深的故事，古人說：「君子一言，駟馬難追。」話說出來會像書中所說的，在空中形成字，傷害別人，最後形成隔閡，君子怎能不謹言慎行呢？

這套書我認為非常值得看，小故事中的大道理才是最能感動人的。（本文為《五項修練的故事》系列套書推薦）

02 當法律追不上科學

看完《未來的性》（*Sex in the Future*）這本書，腦海中浮現的是四十年前在台大法學院上民法親屬篇時的情形，蔡章麟教授語意深長的說：「界定直系親屬，對女性來說很簡單，己身所從出，從己身所出，沒有疑問；對男性，」他停頓了一下，然後很無奈的說：「只能從婚姻關係來認定。」

當時社會風氣封閉，即使念的是法律系，大多數同學也不了解社會真實的情形，因此對蔡教授的話覺得很驚訝，老師也不肯多加說明。這個悶葫蘆直到我去美國留學，上動物行為課時才解開了，原來男性無法確定這個孩子是不是自己的，那時還沒有DNA的檢定，這個疑慮對男性來說是個很沉重的心理負擔，難怪蔡教授的表情很無奈。

書名：未來的性
作者：Robin Baker
譯者：陳雅馨
出版：麥田出版

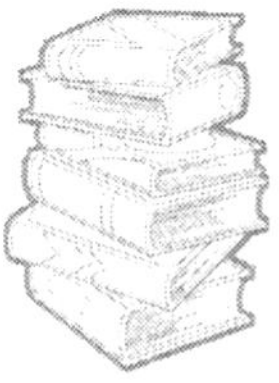

演化的核心策略，是如何讓自己的基因傳下去。對動物來說，最重要的是性，因為那是傳遞DNA的方式，但是當科技進步，可以在試管中製造嬰兒，可以選擇嬰兒的性別，並經過基因篩選去除一些不好的遺傳疾病時，古老的基因傳遞方式就遇到了挑戰，所帶出來的問題就是本書副標題所示的「當人類的原始衝動遇上未來科技」：科技會帶來觀念的改變，觀念改變會帶來行為的改變。因此科技進步首先衝擊到的便是社會價值觀與法律，因為法律原是用公權力維護一個社會的公平與正義。所以，本書的筆調雖然輕鬆，背後的意義卻是深遠的，裡面的場景都值得我們深思，千萬不要把它當作黃色小說讀。

科技的進步使得倫理學重新受到重視，但是大部分的人（包括立法者）對新科技所帶來的社會意義並不了解，想當然耳的用舊觀念解釋新科技，義正詞嚴地說這會違反自然法則，作賤人類尊嚴。無知會帶來偏見，難怪所立的法都趕不上時代，反而成為社會進步的絆腳石，代理孕母案就是一個最好的例子。

一條好的法律可以引導社會進步，同樣的，一條不好的法律是入人於罪。這本書的議題對研究社會學、法律學和政治學的人來說都得細讀，因為它所描繪的社會變革，很快就會出現在眼前。（原載於《聯合報》讀書人版）

03 破壞環境的主因是貧窮

二○○四年十二月底，遠流的王榮文董事長把《恐懼之邦》（*State of Fear*）的樣書拿來給我看，看適不適合台灣的讀者。我被這本書的故事所吸引，兩天之內，利用睡眠時間把它看完。書還給他時，我說：「故事很好看，但是會有人知道什麼叫海嘯嗎？」三天後，南亞發生大海嘯，死了二十幾萬人。王榮文打電話給我說：「我們現在知道海嘯的厲害了！」

海嘯不是我翻譯這本書的原因，因為人的記憶是短暫的（從歷年立委選舉可看出），而且流行的東西如葡式蛋塔或甜甜圈只有三分鐘熱度，來得快去得快，熱度一退便棄之如敝屣了。我翻譯這本書的原因是它給我們很多新知識，我從來沒有翻譯過任何一本小說是附註有學術論文的期刊編號，供讀者查詢的，

書名：恐懼之邦
作者：Michael Crichton
譯者：洪蘭
出版：遠流

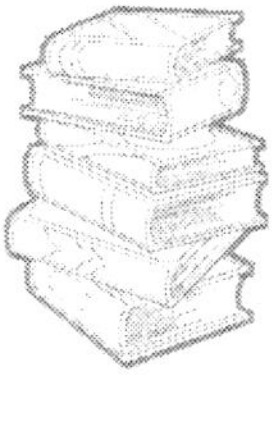

作者本身在這方面下了苦功，他自己說花了三年閱讀所有相關的資料，包括無數圖表、數據。這個精神很可佩，用作學術論文的態度寫小說，而我們台灣卻常見到用寫小說的態度寫論文，尤其在社會科學領域，真是應了馬克‧吐溫的話：「科學最令人敬佩的一點，就是能夠從這麼少的事實中得出這麼完整的理論。」

這本書帶給我們的資訊是我們一般在台灣不太會碰到，學校也不太會教的知識，它讓我們在閱讀懸疑小說的同時，把這些資料讀了進去。有了正反兩方的資料，我們自己便可作判斷，所謂獨立思考能力，必須先建立在寬廣背景資料上。沒有數據，如何判斷？

我看到氣溫的圖表時，想起以前念研究所時教我們統計的老師說：「數據會說話是沒錯，但是一個聰明的科學家會讓數據說他想要它說的話。」這是為什麼我把附錄譯出來，這是麥克‧克萊頓（Michael Crichton）寫這本書的原因，也是這本書的重點。

學術和政治一定要分家。學術不能為政治所用，因為學術本當指導政策的制定，不能反賓為主、角色混亂。當學術為政治所用時，會造成人類的悲劇。

我在翻譯這本書時正碰上《京都議定書》生效，報章雜誌有很多討論的文章，但是當我拿著書中作者所舉的證據問我的朋友（假設教授是高級知識分子），他們都不知道，也不曾想過這些問題。因此，回家後決定儘快把這本書譯出。它裡面的知識是一般少見到的正反辯論，本書作者就主張期刊應在刊登論文同時把同儕審定的意見一併刊出，至少讓讀者了解選擇刊登的理由，使主編不能因人情而放水。

這種把數據攤在桌面上大家討論的風氣，是台灣最沒有的，我們一般一聽到別人批評立刻想到政治迫害，扯上一堆與批評不相干的事來證明政治打壓，很少能虛心檢討別人的話是否有道理。非藍即綠、非黑即白的政治風氣已走入校園，使處於少數地位的不相同聲音已不敢出現。書中的退休教授霍夫曼真是可愛，但也很難過為什麼要到退休以後才敢說出心聲？人本來就會有不同的意見，政治的功能本來就是在協調，將不同的意見整合使能朝同一目標前進，中國人說「宰相肚裡能撐船」是有道理的。協商是政治家的天職，不是扣帽子。

書中最後說「破壞環境最大的原因是貧窮」，這句話使我擲筆三嘆！近年來我去山地服務，看到人肚子吃不飽時，顧不到永續經營，當自己都顧不了時，如何去顧子子孫孫？經建會的封山政策，封掉了很多原住民的生路，環保政策真是如作者所說的：「我已有我的了，我不要你去拿你的，因為那會破壞環境。」

消除貧窮是保護環境最有效的方法。路不通，煤油上不來取暖時，只有砍木頭燒柴取暖，總不成為了你的環保，凍死我的妻兒？作決策的大官們，請務必實地考察當地的生活。坐在直升機中繞一圈是看不到真相的。

最後，我要感謝我的好朋友們給我送吃的食物來，這本書奇厚，五八〇頁原文。（這是為什麼一開始不敢接，我不會打字，豈不是寫到手斷掉？）但是一本好書應該介紹到台灣來，我們既然教學生「只問該不該做，不問難不難做，技術的問題自己回家去解決」，自己就該以身作則，因此我沒有去吃年夜飯，從放寒假，把成績單交出去後，便開始坐在書桌前苦戰。也不知為何，每年譯書都碰上寒流，當別人在溫暖的被窩中作甜夢時，我已要起床伏案疾書。

感謝我的貓，每天自動坐在我的椅子底下，讓我把腳放在牠的背上取暖。復興中小學的李珀校長送了一鍋干貝燉雞湯來，使乾的饅頭能夠順利滑下喉嚨。當然更感謝的是我先生，大年夜從國外開會回來想要吃飯時，電鍋裡只有兩個饅頭和兩個包子，他不但沒生氣反而說「包子留給你，饅頭我帶到院裡邊看公文邊吃」。

或許人要結婚久一點，當結婚三十五年時，彼此的關係就像書中寫的印地安人和大自然的關係一樣，印地安人尊重大自然，大自然回報以生生不絕的獵物，使兩者和平共存。（原載於《恐懼之邦》，譯序）

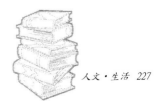

04 大事聽從你的心

初看到《第8個習慣》（*The 8th Habit*）這個書名，我有點訥悶，史蒂芬・柯維（Stephen R. Covey）寫過五本有關七個習慣的暢銷書，應該知道「七」在心理學上是個瓶頸，短期記憶大約是七加減二，美國各城市電話號碼都不敢超過七個數字，如果人口增多了，只能改區域號碼，怕太多人們會記不住。那為什麼作者甘冒大不韙要再出第八個習慣？原來這第八個習慣最重要，不得不加，因為它是聆聽你自己內在的聲音。

很多人可能不知道自己內在有聲音，但是很多人都知道有「直覺」這種下意識的判斷，說不出的感覺。其實直覺就是作者說的內在的聲音。有一句格言：「小事聽從你的腦，大事聽從你的心。（Small things listen to you head, big things

書名：第 8 個習慣
作者：Stephen R. Covey
譯者：殷文
出版：天下文化

listen to your heart.)」不重要的事你可以用理智判斷，聽從你頭腦的分析；很重要的事，要服從你的心，聽從你直覺的判斷。乍看之下，這句話與我們教導學生要理智做事背道而馳，但是有人生經驗的長者一聽就知道這是智慧之言。

人生有許多事是無法用數學公式分析的。基本上，商業上的金錢事可以聽從大腦，因為金錢一是一、二是二，可以用計算機計算。感情上的人情事卻無法以任何世俗的東西衡量，如果沒有聽從自己心中的聲音，做了違背良心的事，老了以後會後悔莫及，人世間的事大部分不能逆轉，覆水難收，只好帶著歉疚離世。這也是「金錢債好還，人情債難償」的意思，人到老的時候，過去所做的事都會一一浮上心頭，雖然年輕時用很多理由去辯解，但是真相是時間的女兒（truth is the daughter of time），活在悔恨中的人是最可憐的人。

那麼，這個心中的聲音是怎麼來的呢？它其實是內隱學習的成果。從實驗上，我們知道大腦訊息處理有個瓶頸，眼睛收進來的訊息很多，但是能夠進入意識界的不多，大部分是「有看沒有到」，進入了潛意識，後來轉換成直覺出現。因此，如果在一支卡通短片中穿插幾張一個人踢狗的虐待動物圖片，每張圖片出現的時間只有二十五毫秒（千分之二十五秒），短到無法進入意識界，卡通演完，燈打亮，進來兩個穿著打扮一模一樣的年輕人，其中一個是在片中踢狗的人，小朋友只會去找另一個人玩，不會找踢狗的人玩，雖然他們都不知道原因，但是都不願去，即使老師強迫，他們也不願，潛意識中，他們知道「你去比我去好」。

這現象不是「人」的問題，因為可以換小朋友喜歡找的那個人去踢狗，那麼另一組的兒童就不會找上組很喜歡的人而去找上一組兒童不喜歡的人玩了。這個簡單的實驗讓我們看到，所謂的直覺其實是先前進入大腦的資訊，內化後形成的判斷。這是為什麼我們教導學生要表裡如一，一旦做壞事，雖然以為無人看見，但是蛛絲馬跡進入別人大腦會形成負面判斷，影響自己的前途。實驗做得越多，越覺得古人說的「若要人不知，除非己莫為」很有道理。

最後作者說習慣的重要性。阿波羅號太空船登陸月球時，最耗能量的不是飛向月球的二十五萬英里，而是脫離地心引力的最初幾英里。一個習慣養好了，維持它很容易，不要花很多資源。但是一個壞習慣養成了，戒掉它比培養一個好習慣多花十倍的力氣。這個現象我們在神經學上可以看到，習慣就是神經迴路的聯結，而神經迴路的特性是一旦聯上了，很難消除，即使很久不做這件事，壞習慣還是會三不五時出現一下，只是力道不那麼強而已。

這本書雖然談的是商業上領導人的特質，卻符合神經學上的證據，它不只是應用在商場，更可以直接應用到每個人的生活，教我們聆聽自己內在聲音，使我們過得更安心、更無憾。這是一本很值得一讀的書。（原載於《第8個習慣》，序）

05 善解人意的貓

我很喜歡貓，從小到大，家裡都有養貓，不過那時沒有寵物這個名詞，在人都吃不飽的時候，養動物必有原因。我們家的貓抓了老鼠一定銜來給我母親看，母親嘴裡就念「天不生無用之人，地不長無根之草」，然後轉頭對我們說，如果我們長大沒出息，就連貓狗都不如。因此我們家六個姐妹中，有三個是不喜歡貓的，因為牠害她們常被母親念，而我們另外三個則是已把母親的話當耳邊風，因此無損小孩子對動物的喜歡。

長大出國後才發現母親的話不一定對，美國的貓不拿耗子，不捉蟑螂，連給牠魚吃都不會，只會吃罐頭，那時才了解貓狗為何叫寵物（pet）。美國人養小孩也不求回報，沒有養兒防老的觀念。

書名：生命中不可抗拒之喵
作者：Peter Gethers
譯者：李佳純
出版：商周出版

人交朋友都是找趣味相投的。因此我的朋友家裡也都有貓，只是這麼多年來，看過了無數貓，不曾見過任何一隻貓像諾頓這樣聰明伶俐，會跟主人出去散步，會乖乖坐在餐廳椅子上，還可以坐飛機不亂跑。牠的一舉一動真是比孩子還有家教，難怪諾頓一出現，立刻引起騷動，每個人都愛死了這隻諾頓。我在想，現在基因複製技術越來越成熟，實在應該去預訂很多隻諾頓，讓牠陪伴老人院的老人，因為在醫學上已經看到心情好才會活得長，有諾頓這種寵物，每天一定笑逐顏開。

在《生命中不可抗拒之喵》（*The Cat Who Went to Paris*）這本書裡，我們看到一個原來痛恨貓的人在經過接觸以後，改變了他的心意。許多偏見來自無知，有了接觸，有了了解，觀念才有機會導正。諾頓改變作者父親的那一段令我非常感動。貓有這種靈性，知道誰不喜歡牠，大多數貓會故意去整不喜歡牠的人，例如突如其來的跳到那個人身上，聽那個人尖叫，或害他把雞尾酒打翻。很少貓像諾頓一樣，躺在地上，把肚子（最弱的地方）露出來，先釋出善意，使人不得不回應。

中國人說「伸手不打笑臉人」，演化學家也告訴我們為什麼動物（包括人類在內）在幼小沒有自衛能力時，臉都圓圓的，頭都大大的，五官都特別討人喜歡，不能以「力」取人時必須以「情」動人。看到作者描寫諾頓的種種行為，使我感到大自然的偉大，小動物一定要可愛才不會被殺，才有機會長大。

另一個諾頓很聰明的地方是牠出去遊玩時，一定回到主人把牠放下來的地方等主人來接。我母親以前一直說如果走丟了，就回到大人最後跟你講話的地方等。人的大腦對地點（location）有基因上的自動登錄機制，因為我們的祖先必須記住哪裡採過甜的漿果，明年再來同一地方就會有食物可吃，也必須記得去哪裡汲水時，差一點被老虎吃掉，下次一定要避開那裡，因為夜路走得多會碰到鬼，下一次可能就沒有這次幸運了。因此人對地點的記憶是一個不花大腦資源的自動處理機制，我母親雖然沒有讀過演化，但是她的聰明才智（我母親綽號叫「博士」）讓她歸納出這個結論，用來教導我們。

看到幾米的《向左走、向右走》（格林文化出版）這本書，兩個情投意合的人，因為大雨弄濕了電話號碼，雖然同住一城卻無法再相遇，這個遺憾如果他們有諾頓的智慧便知道回到最初相遇的地方，一定可以等到對方。

這本書非常好看，幽默中藏有一些人生大道理。如果你帶孩子能像作者帶諾頓一樣，怎麼可能你叫孩子他不回應？諾頓不論雲遊到哪裡都不敢走出作者呼喚聲音的範圍，作者一叫，他就立刻出現，這不就是孔子說的「父母在不遠遊，遊必有方」嗎？

有這麼聰明善解人意的貓，難怪作者去到哪裡都要帶著牠，也難怪讀者讀了就放不下書，每個人心中都希望明年聖誕節的禮物就是諾頓。這真是一本難得一見的好書，適合所有年齡層的人閱讀。（原載於《生命中不可抗拒之喵》）

06 論二十一世紀的〈師說〉

郝明義囑我替他寫序，令我受寵若驚。我只見過他兩次，但是這兩次就足以使我立刻放下手邊的事，先做他的，因為他是少數我所尊敬的出版社長之一。他有風骨、有原則、有理想，這是本來讀書人的基本道理，但是不知為何，在現在的社會卻變成要打著燈籠去找的稀有動物了。

看了這本《故事》我才了解，一個人個性的成長不是偶然的，在人生的過程中，每一個接觸過我們的人都對我們的個性或多或少有影響，其中父母、老師、朋友是影響我們最多的人，這本書就是圍繞著影響郝明義今天成就的主要人物所寫的回憶錄。他很幸運，一直碰到有風骨、有原則、有理想的老師，在這書中，我看到了身教的重要性。

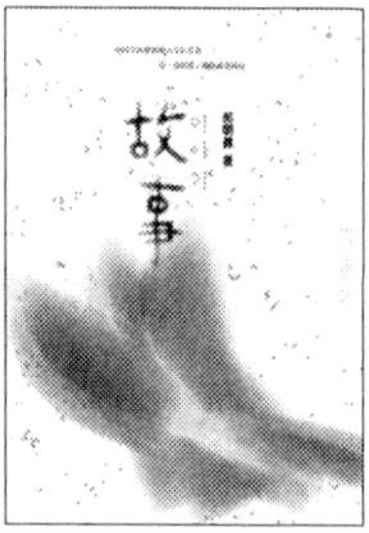

書名：故事
作者：郝明義
出版：大塊文化

在我小時候，台灣有很多像池老師這樣的老師，教出了現在社會的中堅分子，在老一輩人的身上「是非」是沒有灰色地帶的，「士」有所為，有所不為，分得非常清楚。池老師沒有去成東北，所以她堅持還給郝明義匯給她的旅費，漢城在作大水，她跋山涉水就為了還這筆錢。以前有人笑「走五里路回去還一毛錢」的白痴，我不敢笑，因為我父親就是這樣的人，大人的風範影響著我們以後的行為。

郝明義會成功是因為他做事有原則，待人有義氣。我在他身上看到池老師的影子，她影響了他。

在行政院長自稱是政客，立法委員罵老師是王八蛋，而教育部長竟然把頭縮進去，沒有出來抗議為老師討公道的現在社會，我們能要求個個老師像池老師這樣嗎？的確，誠如郝明義所說：「隨著網路的革命，老師傳道、授業、解惑的使命也必須隨之改變，屬於教科書範圍的授業和解惑遲早將為網路所取代，老師真正的使命將在『傳道』上，一方面是基本求知的『道』，一方面是做人基本道理的『道』，後者更重於前者。」

老師在二十一世紀的任務已不再是塞死的知識給學生了，他要培養學生正

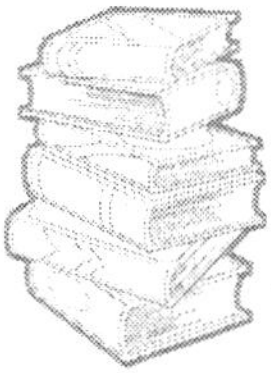

確的價值觀，教給他們道德和情操。

我一直認為老師最重要的就是教做人的基本道理，天下的知識那麼多，哪裡學得完，但是只要有求知之心，有求知的基本方式，學生可以把所需的知識補起來，畢竟許多我們未來要用的知識現在還未發明，老師要教也無從教起，只有靠學生在要用時自己學。所以第一個「道」就非常重要，教會了基本求知方法，以後出社會，學生慢慢見招拆招，兵來將擋，水來土掩，以終身學習的方式在工作上生存下去。所以能從老師身上學到這一招的人就是幸運兒了，因為這就是長期飯票，有了這能力，一輩子吃喝不盡。

但第二個道更重要，它是使你頂天立地，在這個社會上做個人而不污蔑了你父母名字的道。這是我心中老師的定義，也是我自己努力想做到的。難怪人家說一生碰到一個好老師就夠了，郝明義很幸運，碰到了池老師，我在池老師身上看到所有為師的美德，令我感動不已。

現在的政府一直在蓋學校，打造硬體，因為它是選民眼睛可以看得見的「政績」，但是在教育上，軟體（老師）遠比硬體重要，一個好的老師雖然環境很貧瘠，可用的教材、工具都很簡陋，他仍然可以在這種貧瘠的環境中教出一批社會的棟梁（抗戰時期的老師就是很好的例子），因為他教的是捕魚的技巧和面對大海的勇氣，這才是基本生存的要件。

池老師教了郝明義面對環境與自我的勇氣、思考與表達自己的邏輯，願意閱讀，自己尋找知識的能力，這不就是「師者」的責任與義務嗎？只是我們現在從哪裡再去找這樣的師者？

我父親生在新加坡，十二歲回廈門念漢文，是個不折不扣的南洋華僑，所以我很能體會郝明義所描述華僑在韓國社會所受到的待遇。在排華的大環境下，很多人是有「念那麼多書幹什麼？反正還是要開飯館，拉炸醬麵」的觀念，但是越是被打壓，越要出人頭地，教育就是力爭上游唯一的機會了。我了解父親為何這麼愛國，所有的錢為何捐出來支持同鄉會及辦僑校，只有受過欺侮的人才會恨鐵不成鋼，希望祖國強大，只有教育才能使下一代有自尊，才有生存的意義。

台灣這幾年來也是跟韓國社會一樣，清醒的人越來越少，因為作清醒的人很辛苦，要經得起貧窮的考驗，還要經得起寂寞的考驗。但人最後是面對自己的良心，只有經得起考驗的人，才有資格像池老師一樣仰不愧於天，俯不怍於人，才會坦蕩蕩的說「我是年輕的老人，不去跟那些老的年輕人計較」。

這本書或許只是個人成長的回憶錄，但是它背後的意義令我擲筆三嘆！「良師興國」，在此時此地的台灣，它真是所有的老師應該讀的書。（本文為《故事》推薦）

07 打開人生的另一扇門

這本書的書名標題很聳動：「五分鐘改變自己」，相信很多人會想：「有可能嗎？」但是看完以後，會心地一笑。沒錯！改變行為主要是改變意念。心動了，人就跟著念動，行為也就改變了。

《拳頭舉上天》書中許多想法我都很贊同，也有很多我已經在做。譬如「累了就去睡覺，醒來就趕快做事」，這個其實是有科學根據的，因為大腦中的神經傳導物質血清張素跟我們的學習、情緒、睡眠、動機都有很大的關係。愛睡覺時，反正讀不進去，不如躺下去好好休息一下，等一下可以走更遠的路。又如「當場拒絕不想去的約會」，這個做法可以節省很多編謊話的力氣，也不必擔心日子久了以後，忘記當時給的是什麼藉口而穿幫。人世間如果能夠直來

書名：拳頭舉上天
作者：上大岡
譯者：蔡如婷
出版：山岳文化

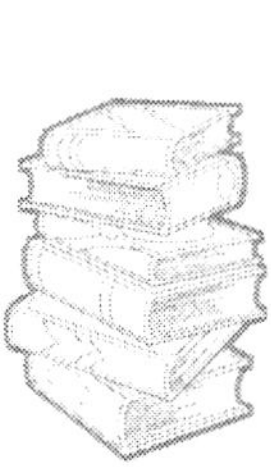

直往，不要兜圈子捉迷藏的話，可以省下很多寶貴的時間去做有用的事，人與人的關係也會單純一點（一個謊話必須用更多的謊話去圓，而編謊話絕對比講真話更花腦力）。

作者提出「散步走過平日搭車或開車的地方」，因為只有散步才會看到路旁的野花，才會注意到季節的改變，才會發現商店擺飾有所不同，才會感受到做人的樂趣。大家平日都太忙了，沒有辦法停下來欣賞一下玫瑰的嬌、桂花的香，但是人應該活在當下，人生的重點在途徑，不在終點，不必每天急急忙忙的往前衝，應該慢下來、活在當下，人生才沒有白過。

本書作者說五分鐘動個念頭，可以換到很大的人生樂趣，真是個大智慧者。當然最對的就是「把道謝放在第一順位，找出對方的優點，褒獎一下。」這個利人利己的做法會使大家一整天都愉快，心情愉快會增加免疫系統的抵抗力，人不生病就能做更多自己喜歡的事，這個正回饋的迴路就真的改變了你。

這本書輕鬆有趣地告訴你很多人生的大道理，誰說學習一定要板著面孔、正經八百的坐在教室中才學得到東西呢？真正的教室在窗外，作者的智慧替我們打開了一扇使自己變得更好的門。（原載於《拳頭舉上天》，推薦序）

08 腦力時代

最近報載有家長付了十二萬元補習費讓孩子去上「快速記憶」補習班，結果發現無效，要求退費不允，鬧上消基會。這則新聞讓我們看到台灣很多人對記憶的本質仍有很多迷思，需要有正確的知識來導正他們的觀念。

《記憶力——記憶大師教你發現你的記憶天才》（*Memory Power*）這本書的作者本來是個記憶平庸的人，因為得了甲狀腺癌，在醫院等待治療時，一方面是生病無聊，想找個事做，另一方面也是怕放射線傷害大腦細胞，損毀他的記憶，便開始作記憶的練習，最後得到四屆記憶比賽的冠軍。這本書就是他練習的方式。

可見凡事往好地方想，常有意想不到的結果出來。牛頓也是在劍橋大學念

書名：記憶力
作者：Scott Hagwood
譯者：張定綺
出版：商智文化

書時，碰到歐洲瘟疫流行，只好回到鄉下避難，在家中很無聊，從窗簾透進來的光穿過三稜鏡發現了白光原來是七種色光的組合，發展出他的光學定律，真是塞翁失馬，焉知非福。這是本書第一個好的地方，作者非常樂觀，不但沒有被癌症擊倒，反而發展出另一個謀生的長處。

作者說，如果他可以做得到，你也可以做得到。這句話很對，只是我們一般人平日忙著生計，沒有時間練習心像等記憶術。不去做不代表不能做，其實人的大腦有10^{12}那麼多的神經元，每個神經元又可以跟其他的神經元至少有一千以上的連接（至多可到一萬五千的連接），所以大腦可以說是一個非常錯綜複雜的資訊高速網路系統，它可以儲存大量訊息，並且可以立即提取。有人計算過，一個捕手要接一個高飛球只要看一眼就知道自己要跑到哪個位置上才接得到，但是電腦需要一千個程式才能做到。

在彈性（flexibility）上，人腦比電腦靈光千萬倍，人的大腦絕對不會因為用太多而爆滿，有人估算大腦可以儲存的資訊量是全世界所有印刷品總量的五倍，或是美國國會圖書館全部藏書的五萬倍。因為大腦有這麼大的能量，記憶就變成一個很重要的議題，儲存而不能提取等於是零。一九五〇年代，加拿大蒙特妻大學神經學家唐諾・海伯（Donald Hebb）就提出海伯定律，記憶是同步發射的神經迴路，同步發射的神經元會串連在一起（neurons that fire together wire together），而且連續不斷的同步發射會增強記憶，促使大腦中處理這種能力的神經區域變大。

有個實驗將大腦的可塑性說明得很清楚：倫敦是座老城，沒有都市計劃，不像紐約是棋盤式，有規則可循，因此倫敦的計程車司機必須考特別執照才能在倫敦開車。實驗者用核磁共振掃描開車六個月的司機及開了四十年的老手，結果發現老手大腦海馬迴後端管空間記憶的區域有變大，表示大腦會依外界的需求而改變內在功能的分配，這就是大腦的可塑性（plasticity）。因為大腦有這個可塑性，腦與行為是個動態（dynamic）的關係，常常使用就會增加這個技能的大腦神經連接，使這個技能越精純。

在古代，記憶的確很重要，大部分人民是文盲，又沒有紙筆可以做小抄，一切都靠記憶。羅馬人發明場所記憶法（method of loci）用熟悉的地點作根據，將要背的東西透過心像，跟熟悉的地點聯結在一起。（從實驗得知，如果沒有產生交互作用〔interaction〕只是放在那個地點上都還無效，例如只是把一個洋娃娃放在客廳的椅子旁邊，對記憶就沒有幫助，必須是洋娃娃坐在客廳椅子上，兩者影像有相連才有幫助。）但是現代科技這麼發達，要背的東西可以交給電腦記，人腦應該釋放出來作組織和整理。

記憶是重要，但是思考比記憶更重要，只有打破死背標準答案的迷思，台灣孩子的痛苦才可以解脫。

我們必須了解時代在改變，每個時代對人民的要求不同，十九世紀是個土地的世紀，有土斯有財，列強爭奪殖民地；二十世紀是個勞力的世紀，用人賺錢；二十一世紀是個腦力的世紀，機械已經替代了人力，勞力時代已過去了，現在講求的是腦力，我們孩子的能力必須從死背的記憶中釋放出來作創新發明才有飯吃。

既然社會的要求不同了，我們怎麼可以還在用二十世紀的教育方式訓練二十一世紀的公民呢？許多企業家找不到人，但是我們訓練出來的畢業生又找不到事，這兩者之間的落差就是我們的教育沒有跟上時代，還在「背多分」，孰不知別的國家早就不用這種評量的方式了。

這本書的第二個好處是，它帶給我們信心，知道沒有什麼叫做記憶力不好，端看你願不願花時間鑽研它而已。看完這本書令我想到「精誠所至，金石為開」「苦心人天不負，有志者事竟成」。天下沒有做不到的事，只要有毅力、有耐心一定會成功。舜何人也，予何人也，有為者亦若是！（原載於《記憶力》，推薦序）

09 學圍棋的孩子有智慧

我曾參觀過一個攝影展，裡面有一張照片印象深刻，歷久不忘：在鄉下大廟旁的老榕樹下，有幾個人在下棋，在一張缺了腿的三腳桌上，有個老阿公在跟他的孫子對奕，孩子兩眼盯著棋盤，全神貫注，阿公笑瞇瞇的望著孫子，臉上表情充滿喜悅與驕傲，我想含飴弄孫最快樂的莫過於此。小孫子能夠挑戰阿公，後生可畏，值得驕傲，但它同時表示這個孩子的智慧已開，可以思考幾步之遠的棋路，有思想的孩子人生路平坦些，老人家可以放心了，值得欣慰。

圍棋可以訓練孩子思考能力，預測對方下一步的走向，這種預測別人動向的能力，一直是心理學上界定智慧的重要指標之一。

下棋的好處很多，例如下棋時必須安靜才能沉思，這可以培養孩子的定力

書名：黑白世界彩色人生
作者：潘台成
出版：時報出版

；下棋時一著錯，全盤輸，讓孩子看到如果不思考清楚，魯莽的後果是什麼；最主要是讓孩子看到只要肯思考，物質的限制是可以突破的，棋盤是方的，棋子是圓的，天圓地方，在這小小的空間裡可以有無窮盡的變化，端看你的智慧可以把你帶到哪個境界；它同時又不是離群索居的，因為下棋要有對手，當棋逢對手時，那個快樂是無可比擬的，這讓孩子了解心靈的快樂勝過物質上的暫時滿足，人生應該追求永遠，不要在乎暫時。

圍棋最大的好處是它的攻守招數跟人生很像，可以悟透人生。當圍棋的子連在一起時，它的勢力會成等比級數方式增強，銳不可擋；但是過分重視連結，就會被綁住，無法發展，所以下棋之人需要學會割捨。人生也是一樣，一個人如果只看眼前小利，一定會招來大害，因為什麼都要，到最後一定什麼都要不到，中國人很早就知道「逐二兔不得一兔」。

但是割捨不容易做到，兩年前，美國曾有一個年輕人爬山時發生山難，手臂被大石頭壓住不得脫身，為了避免餓死或被太陽晒死，他毅然拿出小刀自肘以下切斷，斷臂求生，這個勇氣看了令人肅然起敬，他也真的因此被救活了。這種人成功的機率比較大，因為他敢捨。許多時候，圍棋是模擬人生的實戰經驗，在經緯交錯的棋盤中表現出來。

《黑白世界彩色人生》這本書處處充滿禪機，要靜心體會。例如，作者說下棋的心要如水一般，它不是不關心、不動心，而是「竹影拂階塵未動」「月光穿水不留痕」那種的「有知悉」但「不煩惱」的水心。這幾句話讓我感動，因為這種才是我認為人生修養的最高境界，有知悉表示並非頭埋在沙中，用什麼都不敢知道來保持心中的平靜，那樣是無知，無知的平靜不會長久，而無知所造成的錯誤決策往往帶來更大的傷害，這是不智。

這本書中有許多像這樣的例子，看似無心，卻是有意的藉著圍棋告訴你人生的寶貴經驗。例如作者問：如果有人把一個全新的杯子裝上尿，然後將它倒掉、洗淨、消毒，再裝入果汁捧給你，你敢喝嗎？絕大多數的人會搖頭婉拒，但是作者說杯子已經洗乾淨消毒過了，不髒了，骯髒的是我們的心，因為我們知道它之前裝過什麼，所以就排斥它了。人的偏見正是很難去除的，所以一開始就不能讓偏見形成。現在世界紛亂不安，很多無謂的戰爭都是源自人們的無知與偏見，能夠透過圍棋讓孩子體驗偏見是很重要的事。

書中有一則童心，我特別喜歡：有人問雪溶化了以後會變成什麼？大人都回答「水」，但是孩子說「春天」。這是我為什麼喜歡孩子，喜歡這本書，它是一本充滿純真的智慧的書。

如果學音樂的孩子不會變壞，那麼學圍棋的孩子會有智慧，因為這個黑白的圍棋世界中反映出來的，卻是個喜怒哀樂的彩色人生！（原載於《黑白世界彩色人生》，推薦序）

10 一新耳目的非暴力偵探小說

《堅強淑女偵探社》（*The No.1 Ladies' Detective Agency*）是一本老少咸宜的偵探小說，最適合青少年看。一般的偵探小說都牽涉到命案，一定有有屍體、有血漬，雖然最後沉冤雪昭，惡人伏法，但是看完之後總是有些惆悵，因為死者不能復生，不像這本書案子破了，沒有人死，結局圓滿，一整天心情都很好。在現在每天打開報紙都是殺人放火新聞的暴力社會，有一本非暴力的偵探小說出來，真是令人耳目一新。

書中的案件我們在生活中常會碰到，例如兩岸開放探親之後，很多人跨海認親，當初戰亂離散，分別匆匆，孩子都還在襁褓中，如今分隔五十年後，究竟眼前這個中年漢子是不是當年遺落家鄉的小寶貝誰都沒把握。我就看過有三

書名：堅強淑女偵探社
作者：Alexander McCall Smith
譯者：嚴立楷
出版：遠流

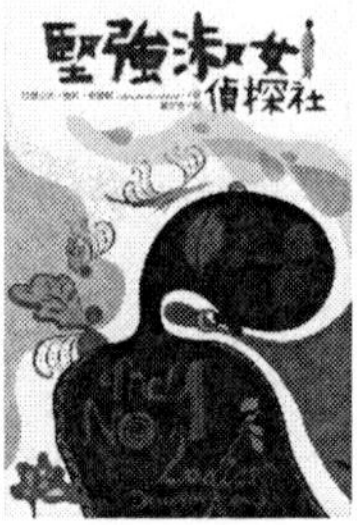

個年齡相仿的人來台灣認親，只因這個父親後來在台灣經商成功，家財萬貫。所以書中第一個故事有人閉門家中坐，突然有人來敲門，說是她父親要她供養的事也就不稀奇了。

倒是這位女偵探解決的方法非常好，她喃喃自語：「所羅門王是怎麼分辨的？」給了我們很好的線索。的確，人生的經驗必須用時間換取，而人的生命有限，不可能經歷世界上所有的事，因此，用閱讀的方式把前人的經驗內化成自己的，當困難出現時，思考一下前人的解決方式，對自己就非常有利。所以書讀得多會解決問題的人叫作智慧長者，古人說歷史是個明鏡，可以借鏡，真是太對了。

這一點許多年輕人不能體會，為什麼我們一直要強調多看書，多吸收背景知識，因為太陽底下沒有新鮮事，今天發生在我們身上的事，古人一定也遭遇過，只是不同的時間、不同的地點、不同的人物名字而已。

所以這本書的幾個案子其實都教了我們很多遇事時該怎麼思考、怎麼解決的方法。中國以前是科舉制度，中了進士就分發到州縣做父母官，審理案件，我以前一直很好奇這些進士不曾經過司法人員訓練班結業，怎麼會辦案審理民情呢？我的外公曾是雲南鳳儀縣的縣長，有一次我問他這個問題，他說天下事逃不脫一個「理」字，讀書人讀了書就是要通理，理通了就懂得邏輯思考，就可以斷案，同時縣長底下有很多幕僚可以幫忙，他只是在證據收齊了之後作判斷而已。

曾國藩、左宗棠都是進士出身，不是武狀元，但是他們會帶兵打戰，清朝末年多虧了他們的湘軍平亂，他們雖不會彎弓射箭，但是會運籌帷幄，同時用了很多能人，所以可以決勝千里之外。這本書中也可以看到這種例子，不管女偵探多麼能幹，她一定要有幫手，事實上，她的人脈就是她破案的關鍵，本書處處有「好花還須綠葉襯」的例子，教導年輕人要成功一定要有朋友相助，因為現在是團隊合作的時代，需要眾人之力才會成功。

這本書的背景設在非洲，是一個我們不太熟悉的場景，但是透過作者的描繪，我們感同身受的體驗了女主角蘭馬翠姐在重男輕女大環境中成功的辛苦。她孤軍奮鬥，證明給別人看，女性也一樣可以憑著她的本事賺錢謀生，也是個好的偵探。這本書對年輕人是個很好的課外讀物，不管在非洲、美洲、大洋洲，只要誠實苦幹就會有飯吃。

名聲是要靠自己的努力賺來的，就如書名「堅強淑女偵探社」——淑女堅強起來一樣可以是No.1的偵探！只要是你有興趣的工作都可以做，性別不是問題，能力才是關鍵。台灣現在女偵探還很少，說不定以後也會有蘭馬翠姐出現！（原載於《堅強淑女偵探社》，推薦）

國家圖書館出版品預行編目資料

講理就好. 5, 良書亦友／洪蘭著. -- 初版. --
臺北市 : 遠流, 2006 [民95]
面； 公分. --（大眾心理學叢書；405
洪蘭作品集）

ISBN 978-957-32-5837-7（平裝）

1. 推薦目錄

012.4 95014105